人生はこれからなのである

六十歳からの留学

モト大嶋

三恵社

プロローグ

総務省によれば、２０２０年9月現在日本では六十五歳以上の人口が３６１７万人となり、総人口に占める割合が28・7％にのぼっている。これら全ての人が定年を迎え、いわゆる第二の人生を歩んでいるとは限らない。現に筆者の周辺でも同世代の仲間でまだ働いている人が多くいる。中には働かなくても金銭的に全く問題ない人もいる。つまり、それがその人にとっての人生なのだろう。

筆者は現在、年金生活をしながら、思いもよらなかった執筆活動をしながらコロナ禍をサバイバルしている。第二の人生に向かって計画を立て、準備をしましょう。これが現在の合言葉のようになっている。筆者も早くから計画を立て、それに向かって準備し、挑戦したつもりだった。しかし、いくら第二とはいってもやはり人生、思う通りにならないから面白いのである。

２０１５年1月から3年半という歳月と、少なくない金額をかけて挑戦したアメリカ留学の当初の目論見は見事に粉砕され、跡形もない状態に至っている。

だからではないが、この挑戦にかすかな価値を見出そうと走らせるペンに、否、現在はキーボードへの打ち込みにも力がこもった。それは愚行であったかもしれないが、今でも人に胸を張って言える、ただ一つだが収穫があったからだ。

これから第二の人生を送ろうとしている人や、まだまだ先だがそれに備えて準備しようとする人に本書が一つの道標になれば幸いである。

尚、登場人物は個人情報保護の観点から仮名を使わせてもらっている。

本書執筆にあたり、種々助言、ご尽力いただいた三恵社の皆様に御礼を申し上げて本書の前書きとしたい。

2021年5月10日

目次

人生はこれからなのである
――六十歳からの留学

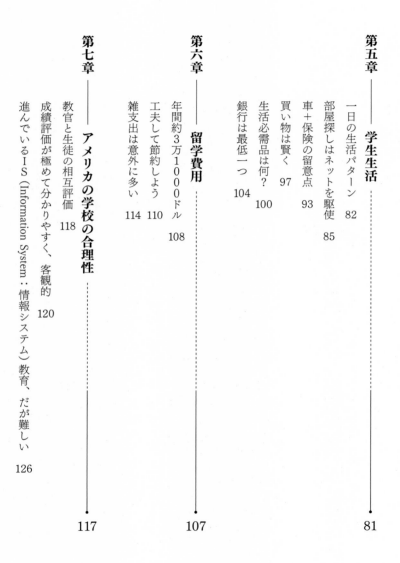

第八章　しかしなかなか楽ではない　153

第九章——得たもの

第一章

何故留学？

計画は四十歳半ばから

サラリーマン生活が長いと、ほんとうに暇な職場に回されることがある。俗にいう閑職に回されるということだ。机に座り、さて今日は何をしようかと考えることから一日が始まる。しかし、こういう場合周囲の人々、特に上層部はそうは言わない。あなた方――当時私と同じ犠牲者は一グループ、約6名いた――は大変重要な使命を帯びている。どうか社内に革命を起こして欲しい、などと激励する。大企業になればなるほど社内に革命を起こすなどは絵空事に過ぎない。例によって仕事は遅々として進まない。長い目で見られているのか、上司からの催促も来ない。というわけで、とにかく時間を持て余すのである。

こういう状況になると、サラリーマンは大きく二つのタイプに分かれる。多くは、それにもめげず、せっせと企画を練り続ける者。一方でこれは何ともならない。時がたち、誰かが変化をもたらすのを待とう。と筆者のごとく考える者だ。かくして、この長い時間を、仕事をしていると見せながらどう潰すか考えるようになる。

当時筆者は定年まで十五年の四十五歳。まだまだ先は長いのだが、この頃になると会社生活での先が何となく見えてくる。これも平たく言って大きく三つのタイプだ。一つは、まだまだ出世して、会社を背負っていく人材になる人。次にそう勘違いしている人。そしてそうでない人だ。

先も見えているし、早期退職して第二の人生を早々に歩むか、と思うに至って作ったのが今後の人生の、今風に言うとロードマップだ。この始まりが、アメリカに行ってＭＢＡを取ることであった。

『狙い』

①アメリカビジネス習得
②語学向上
③ＵＳ資格取得
④アメリカでの人脈づくり
⑤法人開設可能性検討

今読み返すと立派なことが書いてある。そして留学開始は五十五歳だ。費用は二年で１０００万円。

追ってこの計画について検証するのだが、ある部分は計画通り行った。しかし、概ね無謀な計画であったことが分かる。

この時期優秀な若手社員が選抜されて、社費でＭＢＡを取得するというのが全国的に流行していた。当社もご多分に漏れずこの制度があり、行って来た者は例外なくＭＢＡを取ってくるとのうわさだった。しかも、スタンフォードとか、オックスフォードとかいう名門だ。自分としても、四年弱のアメリカ駐在経験もあるし、やればできるのではないかと思っていた。

当時は、このＭＢＡを取ってコンサルタント系の法人を立ち上げるのが夢であった。定款も作ってある。日付を見るとやはりこの頃作ったものだ。

法人名【アイランド企画】

『特徴』

一、アメリカ／中国事情に精通

二、業務改善に精通

三、含非営利事業

『法人目的』

①コンサルタント業務

・流通全般

・業務改善

・税務相談
②講師
③講演
④アメリカ流通ツアー企画
⑤アメリカ留学斡旋（ＭＢＡ取得他）

何とも大風呂敷な定款であるが、結局この計画は遅れ遅れになったものの六十歳の定年になるまで育むこととなるのである。

計画より遅れた原因はいろいろある。結局、よらば大樹の陰の発想から抜け出す勇気がなかったことだろう。子供を海外留学に出していたこともあり、金銭的に踏み切れなかったのだ。自身が海外駐在していたことも理由だった。駐在先は東南アジアの新興国であったが、何故こんな年寄りが駐在に、と思ったものだ。いろいろ話を聞いて分かったことだが、結局海外駐在のできる人材がいなかったということらしい。勤めていた会社が輸出企業であり、既に多くが海外駐在に出ており、一方で親の介護や英語が苦手、海外が嫌いなどの理由で駐在させられない人も多く、白羽の矢が立ったらしい。

結局六十歳の退職前の約十年間で、長期出張も含め三ヶ国に単身赴任した。一ヶ国が終わればすぐ次の国。それが終わればまた次の国と、日本に滞在する間もなく赴任地に赴いた。家族も、亭主元気で留守が一番、とばかりにそれぞれの道をひた進んでいた。忘れた頃に連絡があり、そんな時、たいてい要件は一つだ。要は、まとまった金が必要だ、との合図だ。

たまに赴任地に遊びに来るが、この時は結構周辺の観光や、飲食をして喜ばせた。独りだけだとなかなか行けない観光地、独りでは入りにくい、否、わざわざ車を走らせて行く動機付けが乏しい有名なレストランなどを訪れるいい機会になった。従って、お父さんは優雅な生活をしている、と家族は思っていたに違いない。

海外では大変なことも多い。一番大変だったのは、巨大台風とか地震、火山の噴火などの自然災害であった。こんな時は、必ず被害状況の確認の指示が日本から飛んでくる。しかし、こんなことに慣れっこな現地スタッフに聞いても、遅々として情報は集まらない。筆者自身も、台風のため車の中に、運転手ともども夜半まで閉じ込められ、あるいは車での帰宅を諦め、膝まで水につかってアパートに戻ったことが何度かあった。反面、東南アジア全体の経済も好調で、気ままに仕事をやりながらも業績は右肩上がりの幸運もあって、いつしか六十歳になってしまったのである。

時期的にもう少し早くスタートした方がよかったか？　難しい質問だが、結局金銭的に可能か否かと、家族の説得だけの問題で、今振り返ると五年早くなったところで、健康であれば大きな差があるとは思わない。それでは十年遅れではどうか。つまり六十五歳からだ。その年頃になった今でももう二年くらい勉強に行きたいと思うし、これも健康である限り全く問題ないと思う。

USドル給与で安いドルが貯まる

前述の通り、退職前の約十年間は東南アジアの三ヶ国に単身赴任していた。この地区に宮仕えで単身赴任したことがある人は分かると思うが、現地の通貨安もあって、生活費はとにかく安い。月１万２０００円で雇っていたメイドに月３万円も渡しておけば家の食事はほぼまかなえた。

屋台のチャーハンなどは、食あたりの危険があるので食べなかったが、50円で売っていた。これで立派に大人一人分の食事で、現地人には結構人気があった。感覚的に日本に比べ食費は、半額か、三分の一くらいであった。もちろん外食は高いが、地元料理や中華料理ならたかが知れている。しかし、日本食は高かった。

当時、週末にやることがないため行っていたゴルフを含めても、生活費は月10万円もあればおつりが来た。もちろん家や車、運転手などは別だが、たいていの会社はこれらを貸与してくれる。平日は朝から会社に出かけ、夜の残業は次の日に応えるので控えめにしても、帰りの道路渋滞などで遅くなることが多い。そのまま食事会でもなければ家でメイドが作った食事を電子レンジで温めて食べるのである。こんな生活をしている限り、お金はそうは必要ない。このため、月にいわゆる余剰金が出るのだ。

この地域に単身赴任したことがある人は分かると思うが、問題はこれを何に使うかだ。東南アジアの国々は概して貧富の差が激しく、貧しい家族を支える女性も多い。つまり女性を援助することによる社会貢献に余剰金を使うことだ。これも一つの選択だ。ただし、筆者の周りでは、余剰金の範囲をはるかに超えて社会貢献する人を数々見たが、ただただ頭が下がるというか、勇気があるというかコメントが難しい。

夜の店で使ってしまうのも方法の一つだが、顧客の接待や会社付き合いの飲食だけで十分で、更に金をつぎ込む元気がなかったというのが実情だ。ご存じの方も多いと思うので詳しくは割愛するが夜の店というのは、いわゆる女性が隣に座って接待してくれる店で、手ごろな庶民的なものから、豪華なものまである。また、上品な店から過激な店までその種類と数は多い。このような店に、公私含め毎晩のように通う人が多くいたが、余剰金を使い果たして赤字になるだけならともかく、よく病気にならないものだと感心したものだった。

現地の給与はUSドル建てでもらっており、2010年当時、USドルと円の為替レートはリーマンショックによるいわゆるドル安で、1ドル80円前後であった。少しずつだが、毎月貯まる余剰金の扱いをどうしたものかが当時の、たわいもないと思われるかもしれないが、マネー管理のテーマの一つであった。

余剰金を円に換えて日本で貯蓄も考えたが、如何せんドル安に、低金利で全く旨みがない。仕方なく、当時たまたま持っていたアメリカの銀行口座に送金することにした。もちろん送金手数料はかかるが、赴任地の銀行においておくより有利だった。当然、ドル高になった暁には円に換えようと思っていた。

結局退職するまでこれをやり続けたおかげで、どうしようもないUSドルが貯まったのである。しかも、退職する2014年頃には1ドル120円前後のドル高になっていた。結局これが「何故留学？」の答えではないが大きな援護射撃となった。

後年、何とか儲けてやろうと思って、株や投資信託など、年金生活者の身分相応にやるのだが、下心があるとなかなかうまく運ばないのがよく分かる。このドル貯金は、正直貯まってしまったという範疇のもので、下心がなきゆえの幸運だと思っている。留学を考える諸氏も、外国為替で儲けてやろうと思わず、留学資金だと思って少しずつ積み立てたらどうだろう。漠然とした夢やあこがれが実現するきっかけになるかもしれない。

MBAを目指すが、TOEFLスコアが43ポイントでは……

さて無事日本に帰国し、六十歳での退職が見えてきた2014年7月に留学準備と、現在の英語の実力を把握するためTOEFLを受けてみた。一般の大学では留学するのに、スコア80ポイントくらいが必要だが、MBAになるともう少し高いスコアが求められた。更に有名校になると100ポイント、そしてスピーキングもある程度のスコアが必要だった。自分としてはアメリカ駐在をしていたし、直近の海外勤務でまあまあの実力はあるだろうと高をくっていた。

東南アジアでは普段の生活は現地語だが、仕事は英語で行った。だから職場でも英語で会話をする。個人差はあるが、感覚的に日本にいる時より倍くらいの時間がかかるが、何となく仕事は進んでいく。そして、お互い第二言語であるため、自分の英語力が周りより劣っているという感覚は薄かった。英語で仕事もやっているし、70ポイント近くは行くはずだった。試験の要領をつかめば残りの期間でとりあえず80ポイントくらいは取れるだろう、というのが作戦だった。

２０１４年7月17日、指定された試験会場に出かけて行った。予想通り受験者はほとんど自分の子供より若い者たちばかりであった。高校生、あるいは大学生。彼ら彼女らの会話を聞いていると、３回目だとか、４回目とか経験豊富な猛者たちが多いようだ。しかし、気後れはしなかった。ＴＯＥＦＬであるから、多くは海外留学が目的だと思うが、円安にもかかわらず受験生の数は多かった。国際感覚が求められる時代であるだけに、若者が頼もしく、そして自分のしようとしていることも間違っていないと思ったものだ。

しかし、現実ははるかに厳しかった。リーディングでは全く時間がない。リスニングは半分くらいしか聞き取れない。スピーキングとライティングはほとんど歯が立たない。後日もらったスコアは43ポイントだった。これは覚悟していたが相当ショックだった。

確かに専門の勉強はしていなかったが、まさかこれほどとは思わなかった。何より、前半のリーディングとリスニングで最後の方は集中力が続かない。前半が終わった後の休憩時にはくたくたに疲れた。後半のスピーキングとライティングはもう早く解放してくれ状態だった。

余談だが、留学生活を終了した２０１９年に、英語の実力を把握するためＴＯＥＩＣを受験した。この時も全く時間がなく、二時間の試験の最後の30分くらいは疲れ果てて試験にならなかった。つまり、若い人に比べ、対パソコンでのスピードと集中力が著しく劣っているのだ。

このことはＩＳ（Information System）の科目で思い知らされることになるのだが、詳しくは第七章で述べることにする。

実に困ったことだった。どう頑張っても80ポイントはおろか、70ポイントも取れそうにない。とりあえず9月入学は諦めて、1月入学として、この間にＴＯＥＦＬの勉強をしつつ、その成果を見ながら目指す学校、学部、学科を選びなおすことにした。

テキストを買い、一応勉強し再度挑戦した。2回目は51ポイント、3回目が53ポイントと少しずつ成果は出ていたが80ポイントは無理だった。このためＭＢＡは残念ながら断念せざるを得なかった。改めて社費でＭＢＡを取りに行く人の実力の高さを思い知らされた。また相当な努力も必要だろう。やはりそういう人が選抜され、自分にはそんな話がなかった理由が分かったような気がする。

気を取り直して確認してみても、53ポイントではアメリカ西海岸で一般の大学も、大学院も受け入れてもらえそうな学校がなかった。こうなったら仕方ないので、時間がかかるが、現地の語学学校か、コミュニティカレッジ（公立の二年制大学）からステップアップするしかないと思うようになった。これらの学校の中にはＴＯＥＦＬの要件がない、あるいは現在の53ポイントでも受け入れてくれそうな学校があるのだ。

とはいってもアメリカは広い。西部地区でもワシントン州、カリフォルニア州、ネバダ州、アリゾナ州、またハワイのホノルル、カナダのバンクーバーなども候補地であった。しかし、カリフォルニア州ロサンゼルスは自分の駐在地であったし、気候温暖で住みやすいから、無難なのはやはりカリフォルニア州か、と思っていた。しかし、思わぬ情報が入ってきた。この動き自体は知ってはいたが、自分の留学と結びつけることはしていなかった。

ＩＲの動きに乗ろう

ＩＲ、つまり Integrated Resort、統合型リゾート計画だ。２０１３年にこのＩＲ推進法案が国会に上程され、行く行くは日本にもカジノを含むリゾートが出来上がる。いろいろ調べてみると、早ければ２０２０年の東京オリンピックには開業の運びになるようだ。このため、アメリカやマカオなどカジノ先進国の会社が日本への進出を計画しているようだ。２０１５年から二年、もしくは三年で留学を終えれば、多少の準備をした上で、うまくこの流れに乗れるのではないか。

自分がかつて作った会社の定款には、コンサルタント業務、講師、講演、アメリカ流通ツアー企画、アメリカ留学斡旋（ＭＢＡ取得他）とある。これに多少の修正を加えれば、ＩＲを軸とした業務につながるのではないか。つまり、

①アメリカでの人脈を通じて、日本のＩＲ候補地とカジノ企業の橋渡しをするコンサルタント業務。
②アメリカでのＩＲの実情について講演。
③アメリカでのＩＲ見学ツアーの企画、および随行。
④人材育成のためアメリカでのＩＲ関係の学校への留学、企業でのインターンシップ斡旋。

何となく道が開けてきたような気がした。

当時このＩＲの候補地として、東京や大阪の名前が出ていたが、筆者の地元、愛知でも検討はされているはずだ。もし何らかの形でこのプロジェクトが立ち上がり、それに参加できれば地域貢献もできるわけだ。比較的経済が安定しているとされる愛知だが、それでも地域毎に好不調はあり、人口が減少し、産業も少なく衰退の一途をたどる地域も多い。反対も多いが、その経済停滞挽回の起爆剤になりうるのがこのＩＲだ。

ロサンゼルスから約六時間車を走らせたところにラスベガスという街がある。ご存じの方も多いと思うが、ここはカジノを中心とした一大観光地で、2019年の一年間で4200万人の観光客が国内外から訪れている。[1] ギャンブル、ショー、コンベンション、買い物や食事など、目を奪われるような豪華な演出とともに楽しめるため、ロサンゼルス駐在当時は筆者もよく出かけた。たいていギャンブルで負けて、その原因を分析し、反省しながら復路のハンドルを握るのだが、また来たくなる魅力のある街だ。たまに勝ったこともあったが、今でも100万円近い累積貯金をしたままである。

自分がロサンゼルスにいた1985年頃は、まだまだラスベガスは発展途上で、ギャンブルが好きな人はそれを楽しめばよいのだが、いっしょについてくる女性たちの好むショッピングとか、レストランなどはまだまだ完成度が低かった。

今ではギャンブル収益より、非ギャンブル部門、つまり、買い物や食事、ショーなどの収益の方が多いのだが、当時は違っていた。それが大きく変わり、豪華で巨大なショッピングモールがカジノの街中に現れ、各ホテルで競うようにビュッフェやレストランが並ぶようになった。当然今まで手持ち無沙汰だった女性たちも、目を輝かせてセレブな気分を味わい、楽しめるようになったのだ。現にあれほどラスベガスを嫌っていた筆者の細君も、最近は少々違ってきた、と思う。詳しく聞いたことはないが、少なくとも頭ごなしに否定しなくなったのは確かだ。

1　Las Vegas Convention and Visitors Authority　公式サイト

いわゆるＩＲの勝ち組がラスベガスであった。

日本からの航空便はロサンゼルスなどでワンストップにはなるが、比較的便利である。もちろん全米各地への航空便は多いし、値段も安い便がある。夏は暑いが、冬は比較的温暖で住み心地は悪くない。住居費もカリフォルニア州よりは安そうだ。

しかし、難点が一つあった。それはギャンブルがごく身近なところにあることだ。果たしてその誘惑に負けず、勉強に集中できるだろうか。留学費用を無くしてはしまわないだろうか。不安はあった。

当時筆者の進みたい分野のカジノ管理という科目を教えるのは、西部地区で調べた限りではラスベガスと、サンディエゴの学校だけであった。どちらにするか迷ったのだが、結局選んだのはラスベガスであった。ここにカレッジオブサザンネバダ（ＣＳＮ）という公立の二年制大学があった。

第二章

CSN (The College of Southern Nevada) とは

学校の概要：全米有数のホテル学の第一歩

カレッジオブサザンネバダ（ＣＳＮ）は、ネバダ州にあるコミュニティカレッジの中で生徒数や提供される学位数など州随一を誇る主要コミュニティカレッジである。ホテル学で有名なネバダ州立大学への編入の出発点となるなど、大学編入率においてもネバダ州でトップを走っている。学生数は２０２０年で3万１０００人、留学生はこのうち1～2％となっている。[2]

1クラスは平均21名で、筆者の経験では、履修開始時点で25名から30名が定員として登録され、このうち最後まで残るのが20名弱くらいの感じである。その他の学生は何らかの理由で脱落する。主要な学部は次の通りである。

会計学　Accounting
建築　Architecture
美術　Art
経営　Business
コミュニケーション　Communication
コンピューター　Computer

2　The College of Southern Nevada　公式サイト

幼児教育　Early Childhood Education
グラフィックデザイン　Graphic Design
看護　Nursing
健康科学　Health Science
接客／ホテル経営　Hospitality / Hotel Management
音楽　Music

この中で有名なのが接客／ホテル経営で、筆者が取ろうとしているカジノ管理もこの学部の中の一つである。

ネバダ州立大学とCSNは兄弟校の関係にあるので州立大学について少し触れておく。教員の異動、交流は盛んに行われており、実際筆者の教官の何人かは州立大学の卒業生や、元教官であった。ここのホテル学は全米でも「東のコーネル大学、西のネバダ州立大学」として全米一、二位を争っている。筆者も一度この学部に話を聞きに行ったが、TOEFLのスコア100ポイントと聞いて門戸を閉じられた思いだった。かつてはここにESLセンターというのがあって、一度クラスの振り分けテストを受けたことがあった。ほとんど一番下のクラスであったが、このESLセンターは何らかの理由で廃止になっていた。もしこれが筆者の留学当時に残っていたら、ここが出発点になっていたかもしれない。

ビジネススクールもある。MBA取得について確認に行ったことがあるが、GMAT (Graduate Management Admission Test) という聞きなれない試験が必要とのことで、それっきり縁がなくなってしまった。

立地はラスベガスの東南部で、筆者が過ごした住まいに近かったので、ジムを利用した期間があった。ネバダ住民なら誰でも使えて、しかも安く充実していたのだが、ある事情でやめなければならなくなった。詳しい事情は第八章で述べるが、残念ながら筆者には近くて遠い存在であった。

立地はラスベガス西部

CSNのキャンパスはラスベガスと、それに隣接するヘンダーソン市にある。メインキャンパスは、ラスベガスの繁華街であるラスベガス通りから西へ10㎞ほど行ったチャールストン通りにある。中流クラスの人々の住宅街で、メインの通り沿いには、ショッピングモール、レストラン、自動車ディーラーなどの商業施設が点在している。その他市内には北ラスベガスにも施設があり、筆者は全受講33クラスのうちこの北ラスベガスで3クラスを取り、残りをチャールストン校舎で取った。ヘンダーソンでの履修はなかった。

国土が広いこともあり、アメリカの大学は敷地が広く、かつ別校舎ともなると距離が離れる場合が多い。このため通学に時間がかかり不便なので、できる限り一か所で履修できるようにクラスを選択する。しかし、別校舎でしかクラスがないとか、勉強したい教授のクラスがそこにしかないなどの理由で取らざるを得ない場合が出てくる。

住まいはできる限りメインの校舎近くで決めるので、この北ラスベガスでのクラスは通学に苦労した。一時間弱の通学時間がかかる上、途中フリーウェイを使わなくてはならず、朝夕の渋滞に突入しようものなら更に時間がかかった。従って朝8時の早いクラスや、夕方にかかるクラスは避けねばならない。

交通機関はバスが縦横に走り、少し歩くのを覚悟すれば市内はおおよそどこへでも行ける。現にバスや、友人の車に乗せてもらう、自転車を使うなどの方法で通学している人は多くいた。しかし、車があった方が移動の効率は格段に良い。バスの待ち時間や、夏の暑い時期などを考えるとその恩恵は計り知れない。また、一人歩きをするよりは車の方が安全である。特に女性の場合はしかりである。

特徴：充実の学生支援

ラスベガスは、全米有数のカジノを中心とする観光地であり、ゲーム産業からもたらされる税金も２０１８年には15億ドルに達している。これは州全体の税額の実に39％を占め、州の主要な収入源になっている。[3] このうち高度教育、つまり大学などに与えられる補助金も多く、２０１７年から２０１８年にかけてＣＳＮでは７１００万ドルが学生支援として使われている。[4] これらは奨学金や、各種学生サービスに投入されており、一人あたり単純に計算しても年間２３００ドルの恩恵を受けている。また、校舎も比較的新しく、設備も充実しており、カリフォルニアで訪れたコミュニティカレッジより優遇されているように思える。

筆者が一番よく利用して、役に立ったのが無料チューターリングという制度であった。卒業生の収入確保と、学生の補修を兼ねた制度で、英語のライティングの課題を出された場合は、必ずこれを利用した。チューターは、ネイティブ、すなわちアメリカ生まれではないが、優秀者なため、大いに役に立った。あらかじめ予約をしておいて、その時間に専用の施設で一時間までの個人レッスンを受ける。チューターは選ぶことができ、いつもキューバ出身のアリーナに教えてもらっていた。英語のチューターリングだけではなく、他に、数学、統計、化学、物理な

3　Nevada Resort Association　公式サイト :Benefits
4　The College of Southern Nevada　公式サイト

どのチューターがいた。

余談になるがアリーナはキューバから小舟でフロリダまで渡り、アメリカ市民権を得た移民だ。現在はともかく、キューバからアメリカに上陸した者は、当時の政治情勢から市民権が比較的容易に与えられたそうだ。キューバの名所も幾つか教えてもらった。コロンブスが1492年にキューバに上陸した時に「この世で一番美しい」と大絶賛した場所バラコアや、自然公園であるフンボルト国立公園などだ。これらはキューバ観光十選には出てこないが、知る人ぞ知る生きた情報ということだろう。

ライティングセンターという、これも英語の補修施設がある。こちらはチューターがネイティブであり、筆者のような留学生はもちろん、ネイティブの学生も使う。ESL、すなわちEnglish as a Second Language、英語を母語としない人たちのための英語クラスに通わなくなった学生が、これもライティングの課題のチェックなどのために使う。筆者もESLのクラスを取らなくなった留学後半にはここを使った。予約制ではなかったが、よく教えてもらったのはローリーだった。ブラックジャックのクラスでいっしょだった同級生だが、週に一度ほどライティングセンターでアルバイトをしていた。

コンピューターセンターという施設がある。今時個人のパソコンを持っていない学生もいないと思うのだが、もともとはそういう学生のための施設だ。数百台のパソコンが並び、空いている席でこれを利用できる。筆者はパソコンを持っていたが、プリンターは日本に置いたままだったのでよく利用した。印刷用紙は補助があって、それを使い果たせば一枚5セントくらいの有料で使用できた。平日の午前中などは混んでいて、空きがないような日もあった。

自己啓発のコースも充実していた。一般の単位を伴うクラスとは別に、芸術、スポーツ、語学、投資、起業など様々なコースがあった。筆者が申し込んだのが初級ゴルフレッスンであった。元ＬＰＧＡツアープロが教官となる本格的なもので、週一回、二時間で八週間コースだった。これが50ドルで受けられるということで人気も高かった。

1回目の応募で抽選に外れてしまったので、次の学期まで待つことにした。1回抽選に外れると次は優先的に受け入れてもらえる仕組みになっていたので、ある意味予定通りの成り行きであった。

ところが次の期にレッスンの開催日時が変わってしまっていた。ちょうど他の一般のクラスと重なってしまったため受けることができなくなってしまった。また次の学期と思っているうちに、結局受講機会を逸してしまった。

もう一つ興味があったのが投資クラスで、実際の銘柄に投資しながらノウハウを学ぶものであった。しかし、社会保障ナンバー（ＳＳＮ）がないため証券口座が開けず、残念ながら断念した。たら・れ・ば・ながら、もしこれに入会していたらその当時の株価の上昇トレンドに乗って小銭を稼げたかもしれないのだ。

留学生のためにはインターナショナルセンターがあった。このセンターは新入留学生を対象としたオリエンテーションを毎期実施していた。必須のため筆者も参加したが、学生ビザのルール、アメリカの教育システム、カレッジのプログラム内容、学生生活、健康や安全面の注意、留学生向けの活動や、銀行口座の開設方法などを案内してくれた。英語が理解できるか心配だったが、そこは留学生のためのイベントであり、分かりやすい言葉でゆっくり話してくれた。

また、履修のアドバイスや、何か分からないことや困りごとがあると相談に乗ってくれる。留学生の場合一学期4クラス、12単位が必須で、これを守らないとビザが停止される。また、その他いろいろ守らなければならない法規などがあり、うるさく指導されることもある。

一学期に一回はこのセンターに出向いて履修状況などのチェックを受けるのだが、学校にも慣れてきてこれを守らないと、決まってお小言をちょうだいする。また、自分の取りたいクラスがあっても、自分の学部である接客／ホテル経営のクラスを取りなさい、と履修クラスを変更されることもあった。しかし、病気の時の医者の紹介や、インターンシップの相談——これは結局実現しなかったが——など助けられたことも多かった。

留学生アドバイザーなるものを入学当時つけてもらった。自分の専攻であるカジノ管理の先輩留学生で、いろいろクラスの履修登録に関してのアドバイスを受けることができるはずだったが、縁なくこれっきりになってしまった。

語学力のハードルは低い

留学生に求められる英語力は、ＴＯＥＦＬのｉＢＴスコアが43ポイント以上、英検で２級以上、ＩＥＬＴＳで総合バンドスコア５以上などとされている。これとは関係なく、留学生はパスウェイプログラムに入学することができる。このプログラムは一年間のプログラムで、学生はＥＳＬで英語を学びながら、学部授業に参加することができた。オリエンテーション終了後に全留学生は英語の振り分けテストを受け、スタートできるＥＳＬのクラスが決められた。

筆者はこの試験でＥＳＬクラス、１２４からのスタートとなった。これは全部で10クラスある中で下から5番目、丁度真ん中だった。これを毎期1クラスずつ上っていって、目指すはイングリッシュ１０１クラスであった。このクラスはライティングのクラスで、ネイティブも必須であるからかなり難しかった。アメリカではいかにライティングが重要視されるかがこのクラスを受けて良く分かった。とにかく優秀な人間は書けなければならないのだ。

それはともかく、イングリッシュ101にたどり着くまでに、夏期も入れて六期、二年はかかる計算だ。これを取らないことには筆者のカジノ管理の専門科目の幾つかは履修できない仕組みになっていた。この学校で知り合った日本人留学生——数は少ないが——の中にはいきなり下から八番目に飛び入る人がいたが、こういう人は日本の語学学校でそれなりの技術——あえて高得点を取る技術と言うが——を習得してきた若者と思われる。とにかくこの人たちはイングリッシュ101に一年でたどり着けるのだ。

留学手続きは自分で

手続きを代行してくれる業者もいたが、全て自分で行うことにした。筆者でもできたので、多少の語学力、すなわちTOEFL40ポイント少々あれば問題はない。原則として週十八時間以上のフルタイムの授業を受ける留学生は、F1ビザの申請が必要になる。このビザを取るための手続きは以下の通りである。

一、入学願書を入手する

学校のホームページから願書を入手する。筆者の場合は下見を兼ねて学校を訪問し、つたない英語で、しかし問題なくこれを入手することができた。それに記入して返信することから始まるのだが、授業開始の二か月前——これは学校によって違うが——までに必着になるので後の各行事を展望しつつ早めに開始したい。返信する際には学校の指定する書類も同封しなければならないので、これらの入手準備も並行して進める。

二、指定書類とともに返信する

願書には、住所、氏名、志望する学部／学科、取りたい学位（例えば学士や修士など）、そして署名とサインをする。指定書類として求められたのは、銀行残高証明書、英語力証明、高校——筆者の場合は日本の大学だったが——卒業証明、そしてＣＳＮの場合は、学校での勉強の目的をＡ４サイズ１ページで書く必要があった。銀行残高証明書は、学校が目安として示す年間の授業料、生活費他2万５０００ドルがあるか示さなければならない。筆者の場合アメリカの銀行口座に不足分を入金して、これを証明とした。英語力証明はＴＯＥＦＬ53ポイントのスコアを添付した。英語を母語としない人たちのための英語クラス、ＥＳＬを取りながら勉強するということで、手続きした。卒業証明は自分の母校に依頼し入手した。やっかいだったのは、勉強の目的だったが、知り合いのアメリカ人に添削してもらい作成した。登録料と郵送料として150ドル必要だったが、これはクレジットカードで支払った。

三、入学許可証（I－20）受領

学校が入学を認めると、I－20が送られてくる。筆者の場合は申請書の提出から約一か月かかった。これには学校が許可した学部／学科、単位修得までに許される期間――筆者のカジノ管理の場合三年だった――、その他留学生として守らなければならない注意事項が書いてあった。

四、学生ビザ（F1ビザ）申請のための書類準備

パスポート、写真や学校から送られたI－20、銀行残高証明書などを準備する。

五、DS－160の作成

I－20のフォームに記載があるSEVIS IDと学校のSchool Codeを基にDS－160をアメリカ大使館のサイトで作成する。これはビザ申請書であり、全てのF1ビザ申請者は提出しなければならない。合わせてSEVIS費を支払う必要がある。

六、アメリカ大使館（または領事館）での面接の予約

アメリカ大使館のウェブサイトで申請料金の支払いを済ませ、大使館での面接の予約を取る。筆者の場合は十月中ごろ予約を取ったため、比較的容易に予約が取れた。これが一

か月遅れていたらかなり混んでいたと思われる。

七、大使館での面接

東京のアメリカ大使館まで出かけて面接を受けた。海外駐在をしていると日本大使館には縁があるが、海外ではアメリカ大使館はあまり近づいてはいけないところだった。当然中に入るのは初めてだった。ポリスが周りを警備しており、物々しい雰囲気だった。面接は日本語で行われ、特に聞かれたのは配偶者が同行するかしないかであった。中国系の人々の影響かと思うが、筆者の場合は、細君は母親の介護のため同行不可能である旨説明した。これはその場しのぎの作り話ではなく、事実であった。

八、学生ビザ付きのパスポートを受領

面接後一週間弱で学生ビザ付きのパスポートが郵送によって返却された。いろいろ時間がかかった手続きの中で唯一早いなという印象を持った出来事だった。さて全ての準備が整っていよいよ渡米ということになった。

九、アメリカ入国

アメリカに入国する際の入国審査で、パスポートと事前に記入した出入国記録カード(I‐94)、学校から送られたI‐20を入国管理官に提出する。入国が認められると、I‐94に滞在期限が記入されスタンプが押される。当然ながら学生ビザを持っているため、エスタ取得の必要はない。ちなみに入国管理官は、この歳で留学する人が少ないので、留学についていろいろ質問してくる。何回も同じ目に合うのだが、入国管理官は筆者を疑っているわけではなく、どちらかと言えば感心している人が多かったことを付け加えておく。ある時などは、「Nothing is too late!（何事も遅いということはないか！）」とつぶやいてスタンプを押してくれた管理官もいた。このビザの手続きについてはインターネットで多く情報紹介がされているので、それらを参照されたい。

第三章

クラス選びのヒント

教官の英語が分からない

プロフェッサー（教官）は個性豊かでいろいろな人がいる。年齢は三十歳台から、七十歳を超えて、授業内容が予定から乖離はなはだしい人までいた。女性の先生も多く、筆者は全受講33クラスのうち12クラスが女性の教官だった。女性教官については後ほど所感を述べることにして、ここでは先に進む。

クラスを選ぶに際して、年齢ならではの注意事項がある。このうち一番重要なのは、教官の英語が分かるかどうかだ。これには二つある。そもそも教官の発音とスピードに耳がついていけるかどうか。そしてもう一つが、講義の中身が禅問答のようで理解できない場合だ。ＥＳＬのクラスではこのようなことは少ないが、専門科目ではよく起こる。

ウェスト先生はHospitality Management、接客管理の先生であった。この科目は接客／ホテル経営学部の専門科目で、筆者が取ろうとするカジノ管理の必須科目であった。入学後の初めての学期で、インターナショナルセンターでのアドバイスそのままに履修したクラスであった。午前の後半の一番いい時間帯でもあり、大きい部屋に30人ほどの学生が集まっていた。授業初日でもあり、内容説明やら、グループ研修のグループ分けなどが始まった。人数が多いこともあり、統制を取るためウェスト先生の語気も荒かった。ちょっと高圧的でいやだな、とは感じたが、もっと困ったことが生じていた。先生の言う英語が理解できないのだ。理由は分からない。恐らく、筆者には認識できない訛りのようなものがあるのだろう。逆にオリエンテーションで知り合った日系韓国人のK君――彼とは今でも親友付き合いをしているが――はウェスト先生がいたく気に入ったようで、内容も分かると言う。筆者の個人的な英語力の問題でもあるかもしれないが――悔しいけれどたぶんそうだろうと思いつつ――結局翌日このクラスをドロップした。この後、インターナショナルセンターでこれを説明して了解を取ったのだが、口には出さないが前途多難だという顔をされた。

Sociology、社会学にミラー先生がいた。この科目は必修科目ではなかったが、他のクラスをドロップしたため代わりに履修したものだった。当初、日本でも勉強したことのない社会学を英語で受けることがどれだけ無謀であったかの意識がなかった。授業初日、案内された時間前に、指定の教室に行った。本当にここで間違いないのか、と不安に思っていたら教官がやってきた。

教官の第一声が「人数が少なくて冴えないな」であった。授業内容の説明やら案内などが終わって教科書の内容に入っていった。学生数が5〜6人と少ない上に、授業の途中で学生の意見を聞きながら進めるようだ。

「持続可能な夢（Sustainable Dream）」「学べ。自身が先生になれ（You have to learn. Be as if teacher）」各英単語は分かるが意味が分からない。「キスを2～3年しなさい (Kiss 2-3 years)」に至っては皆目見当もつかない。ノートの半分にメモした初回の授業内容の抜粋だ。英語の禅問答だと思った。

コメントを聞かれても当然答えられないのでNo ideaと言った。このクラスは授業終了後、直ちにドロップした。

まるで軍隊クラス

アメリカでは、講義に遅れてくる学生は多い。遅れて来て静かに後ろの席に座る学生を、たいていの教官は大目に見る。しかし中には鬼軍曹のように厳しい教官がいる。ＥＳＬクラスのアダムス先生は、こういう学生を厳しく注意する女性教官であった。

このクラスはもともとデイビス先生が担当の予定だったが、直前に何らかの理由で変更になった。デイビス先生はＣＳＮで受講した最初のクラスの教官で、入学当初の二か月間はこのクラスのみ受講していた。学校のウェブ環境に全く不慣れな筆者に、手取り足取り指導を施してくれた恩師なのだ。後で聞いたのだが、奥さんが日本人で、趣味の一つが日本の高校野球を見ること、というから驚いたものだ。結局このクラスのみの縁であったが、校内では時々会う機会があった。そんな時は立ち話でいろいろアドバイスをもらったりした。昼食はキャンティーン（学校食堂）でカリフォルニアロール（巻き寿司）などを食べる日本通だった。

アダムス先生に話を戻すが、歳の頃は筆者と同じ六十歳前後で、とにかく厳しかった。遅刻、課題未提出や遅れ、欠席、私語などはもっての外だった。しかし、一番こたえたのは休憩なしで授業を行うことだ。

通常1クラスは週に2回、90分授業が基本である。教官にもよるがこの90分間緊張を保ちながら過ごすのは容易なことではない。普通は前半、後半と分け、間に5分から10分程度休憩が入る。しかし、アダムス先生は休憩なしで進めるのだ。その代わり、終了が少し早くなるので、若い学生はそれでも問題ないようだ。

ライティングのクラスでは、毎回のように課題が出る。しかも、その採点がまた厳しいのである。周りの学生の点数と見比べても甚だ低く、授業3回目で諦めた。

留学生の場合、授業料は履修時に前払いで、1クラス1000ドルくらい払う。授業開始から一定期間はそのクラスをドロップしても全額返却される。その後半額返却期間を経て、返却不可となる。ここを逃したら全額返金されなくなる最後のタイミングでドロップした。しかし、この結果イングリッシュ101にたどり着くのが一学期遅れてしまった。

厳しい、厳しくないは主観の問題なので人によって対処が変わってくる。現にこのアダムス先生のクラスは、脱落者もそう劇的でもなく、それなりの人数を保ったまま最後まで行ったと、元クラスメートに聞いた。しかし、筆者にとっては耐え難いクラスだったのだ。

サラリーマン時代に上司からガミガミ言われ、我慢して半生を過ごしたのだ。退職後くらいそうした状況から解放されたいのだ。できるだけ楽しく、リラックスして授業を受ける。これがクラスについていく、クラス選びの秘訣と信じて疑わないのである。

あえて言う、女性の先生は盛りだくさん

結論から言うと、ほぼ同じ条件でクラスを選ぶなら男性の先生を選ぶこと、である。こんなことを書くと、女性人権保護団体からお叱りを受けそうだが、三年半の経験に基づく確信なのである。一学期にたった4クラスなのだが、これが結構大変なのである。1クラスはウェブクラスを取ってもいいことになっているが、3クラスは対面クラスとなる。これが各週2回ある

ので、週6回教室に通う。これがただ通学すれば良いということではなく、予習が必要で、課題も課せられる。従って大変なクラスはせいぜい1クラス、悪くても2クラスまでに抑えて、後は比較的楽なクラスを取らないと身が持たない。端的に言えば、分厚い英語の教科書を読む必要のあるクラスは大変である。また課題が多いクラスもしかりである。

カジノ管理の後に第二専攻したビジネスのクラスにマルタ先生がいた。マルタ先生は元ジャズミュージシャンで、東京などでも演奏した日本びいきであった。本人も自分は変わっていると言うように、その後ビジネスの博士号を取って、気が付いたら教鞭を執っているのであった。両親がイタリアから来たということもあって、そのラテン系のノリで授業は活気づいていた。順番に質問や説明などを求められるのだが、幸い筆者はそんなに難しい質問や、説明を求められずに済んだ。理由は英語力がないためだ。ネイティブと同じ土俵に立たせても無駄なことを知っていたのに違いない。しかし、困ったことはあるのである。課題が非常に多く、時間を取るのである。

マルタ先生の授業はウェブ上での課題をこなしながら進めるが、週1回の対面クラスもある。いわゆるハイブリット（2種類の組み合わせ）と呼ばれるクラスであった。これは週2回のクラスの一方をウェブで行い、他を学校に来て対面で行うものだ。ウェブ上で課題をこなすのがメインで、課題は次の通りである。

①ウェブ上のプレゼン形式のテキスト（8章）を読んで、設問に答える　：2330ポイント
テキストは膨大で設問は、3択、4択、文章で答える、関連調査をする、エッセイまで多岐に渡る。
②前章の復習テスト　：320ポイント
③前半4章、後半4章の復習テスト　：100ポイント
④その他（テレミーティング参加、ブログ作成他）　：500ポイント
⑤クラス出席　：280ポイント
合計3530ポイント

これが期限をそれぞれ切られて出題されるため、週末はほぼこの課題で終了した。

一方同じビジネスのクラスにベーカー先生がいた。この教官については後ほど紹介することにするが、課題は次の通りであった。

①試験（4回）：300ポイント
②クラス出席　：200ポイント
③クラスのビデオスピーチの感想（各1ページ）：200ポイント
④専門用語説明（120語を教科書から転記する）：100ポイント
⑤課題本（1冊）の感想文　：100ポイント
⑥将来の夢へのロードマップ（フォームに沿った自由プレゼン）：50ポイント
⑦新たな課題（救済ポイント）：50ポイント
合計1000ポイント

4回の試験は事前に問題を教えてくれるので、多少の準備だけで十分だった。ビデオスピーチの感想は授業中に手書きで終えることができたし、他の課題も読書感想文を除いてほとんど手間はかからなかった。

マルタ先生の合計3530ポイントのクラスの三分の一の時間もかからないのだ。しかし、今振り返ると自分に残ったものはベーカー先生の方が大きいのである。結局ベーカー先生のクラスはこれ以外にもう1クラス取った。課題も似たようなものがあり、「将来の夢へのロードマップ」などは重複提出を許された。

マルタ先生のクラスは当初ドロップしたが、結局他に選択肢がないのでそのクラスを履修し直した。更に他のもう一つのクラスも履修して卒業にこぎつけたのだ。

マルタ先生に限らず、前述のアダムス先生、同じくＥＳＬのアメリア先生など、女性の教官は課題が多いと思った方がよい。と言っても、代わりの男性の教官がすぐ見つかるわけでもなく、残念ながら選択の余地は少ない。

逆のケースもある。接客管理のウェスト先生に代わって履修したターナー先生は、言葉が分かり易く、何より教科書のポイントを板書してくれるので、分厚い教科書を読まなくて済んだ。４回あった試験は板書されたポイントから出題された。クラスが北ラスベガスで、通学に時間がかかった以外はクラス変更の成功例となった。

余談ではあるが、教室ではいつも前の方に座っていた。何も目立とうと思ったからではない。前の方にいないと文字が見えないのだ。だいたいどのクラスも前方のスクリーンにプレゼン内容を映しながらの授業であり、当たり前だが目のいい若者が中心なだけに、文字は概して細かい。従って、クラスが始まった頃にできるだけスクリーン前の席を取るようにし、そこを自分の指定席にした。いつも出席する学生の席はだいたい固定されるのだ。

グループ研究の落とし穴

クラスにはグループ研究が入る場合が多い。筆者がビジネス専攻で取った10クラスの専門科目の内、2クラスにグループ研究が組み込まれていた。そのうちの一つが前述のマルタ先生の2回目のクラスだった。課題はレゴの様なもので船の帆を作って、それを売り込む販売促進ビデオプレゼンをグループで作ることだ。

グループ分けは通常教官が名簿のＡＢＣ順に生徒を振り分け、自動的に決めていく。気心の知れた友人と組むわけにはいかない。この時のメンバーは、メリー、チャールズ、コロナ、モディーと自分の5人であった。メリーとコロナは二十歳前後の女性で、チャールズは同じく二十歳前後の男性。モディーは筆者より若かったが中年の男性だった。このモディーはほとんどクラスに出てこなかったので、実質若者たちに混ざって課題をこなすことになった。

グループ研究の最初の打ち合わせで早速問題にぶつかった。若者たちの言葉が分からないのである。筆者の話す言葉は理解してもらっているようだが、何を言っているのか議論についていけない。順番にグループを巡回するマルタ先生の言うことは分かるのだが、同じグループの学生の言葉が分からない。この現象は理解に苦しんだ。女性2人はいわゆるスペイン語を話すヒスパニック系だったが、その訛りではなさそうだ。チャールズはアフリカ系アメリカ人、いわゆる黒人であったが、その黒人特有の訛りでもなさそうだ。

いろいろな人に聞いてみたところ、どうも若者が使う学生言葉のようなのだ。こうなると困るのはグループ内での自分の役割だ。アメリカでのグループ研修では、役割を自分たちで決めて、つまり仕事を自分で作って、自主的にその役をこなすのである。果して筆者に何ができるだろうか。議論にも入れないのに。グループメンバーもそれが分かるようで、次第にグループの中で孤立していくのだ。これをどうやって切り抜けたかはここでは詳しく触れないが、とにかく針の筵のような授業だった。

結局最後の販売促進プレゼンをチャールズが一手に引き受けてくれたおかげで、助かっ

マルタ先生のグループ研究クラス
左からマルタ先生、メリー、モディー、コロナ、中央は商品のマスト

た。5人のうちのほとんど貢献のなかった1人ということで終わることができた。チャールズに任せてしまったのには理由があった。販売促進プレゼンのソフトは、マック専用のもので、このパソコンを持っていたのがチャールズだけであった。

チャールズのプレゼンの出来は素晴らしく、彼のおかげで全員がほぼ満点を取ることができた。もう一つ感心したのがマックの性能の高さだ。今までウィンドウズにしか縁がなかったが、井の中の蛙であった。ある分野では明らかにマックの方が優れた性能を持っているようだ。

もう一つのグループ研究クラスは人事管理のクラスであった。課題はアメリカにおける就労ビザについて、グループでメリット・デメリットを考察の上プレゼンをすることだ。幸い同じグループになったメンバーが、韓国、中国、日本（筆者を含め2人）の留学生を含む6人であったため、孤立することもなくグループ研修を終わらせることができた。つまり、第二言語同士での英語は分かるのである。

自分の役割を、アメリカ就労ビザに対比する目的で中国の就労ビザにすることができたことも良かった。中国はサラリーマン時代担当した国で、一年の長期出張も経験したので、全く未知の分野ではなかった。

グループ研修や、グループ討議などは留学生にとって避けて通れない試練なのではあるが、メンバーや課題次第で大きな落とし穴にはまることがあるので、グループ研修があるクラスはできれば避けた方が賢明であることは、頭の片隅にでも置いておいた方がよいだろう。

教官のことを良く調べる

留学の最初の頃は教官のことを良く調べるなどという余裕はないし、思いもつかなかった。しかし、学期が進むにつれその重要さが分かってくる。いかにそのクラスにかける時間を少なくし、いい成績を取り、自分のためになるには、を考えざるを得なくなる。

これには常識的に二つのポイントがある。一つは事前にできるだけ教官の情報を入手することだ。これでかなりのことが分かるのだが、十分ではない。また、直前に担当の教官が予告なしに代わることもある。

二つ目は、最初のクラスでそれらの情報の真偽を自ら確認することだ。従って最初のクラスは必ず出ることにしよう。これで自分の予想を大きく裏切る結果となったらドロップするのだが、これにはリスクが伴う。つまりクラスをドロップする場合は代わりを見つける必要があり、これが時に難しいのだ。

一つのクラスを複数の教官で受け持つ場合は、選択の余地もあるが、そうでない場合はドロップできない。他の教官のクラスがあったとしても、時間帯と場所がうまくマッチするとは限らない。後日新しい教官と交代するのを期待して数期履修を遅らせる手もあるが、これは卒業までどのくらいの余裕があるかによる。

教官の情報を入手するには大きく二つの方法がある。一つはクラスメートなどからの情報だ。ただしこれにはそのクラスメートの主観が入ることがあるので注意を要する。

イングリッシュ101は、あるクラスメートの強い推奨もありキング先生のクラスを取った。このクラスは初日から多くの学生を集め、盛況だった。課題もそう多そうでもなく、教官も若くて親切そうなのでそのまま履修したのだが、気が付くと女子学生が多いのである。先生をよく見ると、何となくブラッド・ピット風でもある。ちなみにそのクラスメートは二十歳前後ではないものの独身女性であった。

同じようなことが会計学のクラスでもあった。前述のチューターのアリーナに会計学のクラスを相談したところ、間髪入れずにフォスター先生を紹介してくれた。思い起こすとそのクラスも女子学生の割合が多かった。筆者には全く興味のないことだが、今思うと映画俳優の誰かに似ていた。アリーナも婚約者はいたものの、やはり独身女性であった。

ちなみにフォスター先生は難しい会計学のクラスを、独特のウェブを駆使した方法で分かりやすく教えてくれた。親切だったし、課題は多かったが過大ではなく、問題はなかった。

話が横道にそれてしまったが、二つ目の方法は、ウェブ上の教官評価（Rate My Professors）というサイトを参照することだ。

このRate My Professorsは、学校の評価、特定の教官の評価が見られるサイトで、逆に匿名で両者の評価もできる。ここには5ポイントを満点とする総合評価とクラスの難易度が示してあり、他に出席の確認があるか、教科書は必要か、友人に推奨するかと、自由コメントが書いてある。

筆者が特に注目したのは、総合評価と課題が多いか少ないかであった。この評価は概ねいい成績、つまりABCDFのうちのAを取った学生は良い評価をし、残念な成績の場合、評価は極端に悪い。しかし、いずれの場合も課題が多い場合はそうコメントされている。そして、実際課題は多いのだ。

筆者は5人の教官から二つずつのクラスを取った。ESLのアメリア先生とオリビア先生、ビジネスのマルタ先生、ベーカー先生と、ジョンソン先生だ。アメリア先生とマルタ先生は課題が多かったが、教え方はうまく、いわゆるためになる授業であった。1回受講すると教官との気心も知れて、授業の進め方も分かるので勉強の計画が立てやすかった。1クラス受講してみて気に入ったクラスであったなら、その教官の他のクラスは是非マークしたい。

第四章

留学を長続きさせる秘訣

好きな街

筆者はラスベガスという街が好きだ。仕事柄世界のいろいろな国に行くことができたが、この街は退屈しないのだ。世界屈指の観光都市であり、食べる、飲む、観る、ショッピングなど、楽しむことが高級から手ごろまで揃っている。

食べるは高級フレンチ——高級と呼ばれるレストランは圧倒的にフレンチが多い——から持ち帰りの手ごろな中華料理まで、時と場合と財布の状況によって選択できる。バーは高級なものから大衆バーまで街中のいたるところにあり、ビールはグラス1ドルから飲める。

観るは、世界のショー、歌手、マジシャン、コメディアンや、プロのアイスホッケーの試合までさまざま。手ごろな観るでは、1回5ドル、約550円で映画が観られる。映画は最初全く理解できなかったが、事前に日本語の映画サイトで情報収集するようになってからは多少理解度が増した。たぶんヒアリング能力の向上もあったのだろう。

車で数時間のところに、グランドキャニオンやデスバレーなど国立公園も点在する。ショッピングは得意分野ではないので詳しくはないが、娘や細君など女性陣は一旦ショッピングに出かけると最低半日は帰ってこない。

楽しむことと言えば主にギャンブルではあるが、資金の問題もあるので、ゴルフとか射撃、スパ、マッサージなども楽しみに加えた方がいいかもしれない。観光案内ではないのでこのあたりに留めておくが、とにかく退屈しない街なのである。

余談になるが、筆者の甥はポーランドのワルシャワにポーランド語の勉強のため留学していた。大学時代の恩師がポーランドに縁があり、留学を推奨されたのがその理由だった。ところが彼は一年くらいで諦めて、帰国してしまった。直接の原因は留学費用が工面できないことだった。

彼はポーランドの前に語学留学でメルボルンに一年ほど滞在した。当時東南アジアにいた筆者は彼を訪問したことがあった。メルボルンは鉱物資源の輸出で景気が良かったオーストラリアを象徴するように活気があった。街にはレストラン、バー、ショッピング街が立ち並び、ラスベガスほどではないがカジノもある。周辺の観光資源も豊富で、物価が少々高かったのが難点だが、退屈しない街だった。

留学費用は常に不足しているようで、訪ねた彼の住まいは、アパートの1ルームを3人でシェアしていた。季節は正月でもあり、学費の足しにお年玉をはずんだ記憶がある。彼はメルボルンを気に入り、勉強に、遊びに、友人との交流にと楽しい日々を送っていた。

ワルシャワは彼の帰国のため訪れる機会を逸してしまったが、想像するにメルボルンとはかなり性格を異にすると思われる。歴史の街、芸術の街でもあるし、旧社会主義の国であったため、いわゆる派手さはないと想像される。口には出さないが、恐らく彼にとってメルボルンほど刺激がなかったのだろう。

留学に際しては何を勉強するかが重要で、特に芸術系や医学系などは特定の教官、特定の学校などが重要になる。だが、退職後の留学ではどこの都市に留学するかが重要なのである。そしてそれは自分が好きな街の一つでなければ、長続きしない。

何でもいいから楽しみを作る

これまでも述べてきたように海外留学は結構大変である。日本での大学時代と違って、一日の多くの時間を勉強に費やさなければならない。勉強をしていればお金は要らないのだが、人間勉強ばかりというわけにはいかない。とりわけ人間を六十年近くやっていれば、我儘にもなるし、多少の息抜きや楽しみがなければやってられない。かといって留学費用が潤沢にあるわけでもなく、それを補うため若者のようにアルバイトの口があるわけでもない。

当初は土地柄、専攻でもあるしギャンブルを息抜きにした。ただし、ルールは決めていた。一日30分以上はプレーしない。50ドルを元手とし、これが無くなったら止める。50ドル勝ったら止める、などであった。

しかし、ルールは破ることが多いし、やはりなかなか勝てないのである。初めの頃は、ルーレット、キノ、ブラックジャックなど幅広くやっていたが、必須科目のブラックジャックの実践コースを取って以来ブラックジャックが中心になった。

実践コースはポーカー、ルーレット、バカラ、クラップスのコースがあり、このうち1科目を取らねばならなかった。筆者はナイト先生のブラックジャックコースを取った。実際の模擬カジノ教室で、ブラックジャックテーブルを使って実践的にディーラーの仕事を習得する。卒業生で実際ディーラーになったと思われる人がカジノ教室で自主練習をしている姿をよく見かけたので、このクラスを取って職を得る人も多いのだろう。

このクラスでは受講する生徒たちと、ディーラー、客に分かれて模擬プレーをする。教官からは、カードの配り方、切り方、混ぜ方、インシュランス、ダブルダウン、スプリットの受け方などポイントの説明を受ける。一番難しかったのは、ブラックジャック時の返金の計算だ。通常1・5倍の返金率になるので、1ドルの掛け金なら1・5ドル返す。2ドルなら3ドル返す。3ドルなら4・5ドル……、9ドルなら13・5ドルなどと、よく客が賭ける金額の1・5倍を記憶させられるのだ。ちなみに、75ドルなら112・5ドルだ。ディーラー役をやると分かるが、やはり客はなかなか勝てないのだ。

実際ブラックジャックのカジノ側の理論利益率は、ラスベガスルールで0・26%。すなわち1万ドルで26ドルがカジノ側の勝ちになる。これは、客が潤沢に資金を持っている場合で、多くは途中で破産してしまう。また、客は時には過ちを犯す。この場合はカジノ側の理論利益率は更に上がる。つまり、突き詰めれば客は勝てないのだ。これを境にギャンブルから足を洗った。日本から友人が来て少々の手ほどきをするような場合以外は、ほとんど禁ギャンブルとした。

その代わりに見つけたのが地ビールだった。ラスベガスに限らず、全米各地で地ビールを楽しむことができた。地ビールは、2009年のリーマンショック後の街おこしでブームになっていた。州によって多少異なるようだが、日本ほどビール作りの規制が厳しくなく、倉庫で醸造し、表に食堂スペースを作り、売るような店がいたるところにあった。店によっていろいろな種類があり、何より新鮮なためおいしいのである。

筆者がラスベガスで見つけた店は三軒ほどあったが、最終的にはそのうちの一軒に落ち着いた。名前をエリスアイランドといい、賑やかなラスベガス通りより1㎞ほど離れているが、小さいカジノを持つホテルであった。ここは、食事が安いことで賞をもらうくらいで、売りの地ビールがグラス2ドルで飲めた。アメリカサイズのグラスだから、日本の中瓶くらいの量はある。小さいホテルだがレストランが二軒あり、ピザや、メキシコのファーストフード店などもあるため、夕食はビール片手にここでよく済ませた。

勉強は暗くなり始める5時過ぎには終え、バスに乗ってよく出かけた。飲酒運転は厳禁なので、住まいはバスの便が良く、この店に近いところで決めたくらいだ。特に砂漠の街でもあり、乾燥して暑いことも多く、そんな時は格別である。

小旅行の勧め

勉強の合間をぬって時々小旅行に出かけた。よく行ったのはロサンゼルスとサンフランシスコだ。ロサンゼルスは大谷翔平[5]のエンジェルスの試合を年に一～二度見に行った。ラスベガスから車で約六時間だが、1人での運転は疲れるので途中数回の休憩が必要となる。またこの2都市間はバスの便もよく、片道20～30ドルで利用できた。これは楽でいいのだが、週末ともなると人もいっぱいで、自分の二倍もありそうな人が隣に座ったりしたら、文字通り肩身の狭い六時間を過ごすことになる。カリフォルニアの場合、ホテル代は安モーテルでも100ドル以上と高額だが、それ以外を節約すればそんなに大きな出費とはならない。

5　プロ野球選手。右投左打。北海道日本ハムファイターズに入団以降、投手と打者を両立する「二刀流」の選手として活躍中。

自分の趣味のマラソンやゴルフを行うためロサンゼルス周辺に出かけたこともあった。マラソン大会は、夏を除いてカリフォルニア州なら毎週末どこかで開催されていた。筆者は年に2回ほどハーフマラソンに参加するのを常としていた。ラスベガスでもマラソン大会は開催されていたが、数は少なく、圧倒的にカリフォルニアで走ることが多かった。

土曜日に走って、日曜日にLPGAツアー、つまりアメリカの女子ゴルフツアーを見ることもあった。この当時は、宮里愛や横峯さくらなどの日本人選手も活躍しており、もっぱら女子ツアー見学が主流だった。

サンフランシスコは日本からの行きか帰りに立ち寄った。こうすれば飛行機代が節約できたからだ。車でサンフランシスコへ行くの

ヒーローインタビューに答える大谷選手

は十二時間くらいかかった。従って1人では一日でたどり着けない。一泊となって費用がかかってしまうのだ。ここでは知り合いの家を訪問したり、数多い地ビール店巡りや、飲茶を食べたりして楽しんだ。

筆者は卒業旅行を2回行った。カジノ管理の科目を終了した2017年の夏、一か月近く滞在した細君とその妹と、アメリカ大統領の群像が刻まれているラシュモア山まで、片道1800㎞の自動車旅行をした。

その途中、いろいろ寄り道をして五か所の国立公園を経由した。アメリカには59の国立公園があるが、駐在当時とその後の旅行で十か所ほどは行ったことがあった。しかし、中西部だけでもまだ行っていないところが多くあった。

ラスベガスという街は交通の要衝であり、主要幹線が交わっているため、どこを目指しても便利だった。ラシュモア山まで九泊の行程で、まず訪れたのがモニュメントバレーであった。続いてアーチーズ国立公園に行った。両者とも、砂漠にある岩山や石が自然の魔法のような浸食に合い、奇景を作り出していた。

ホテルは三泊ずつを基本とし、そこを拠点として目的地を選んだ。毎日ホテルを変えるのは車の走行効率としてはいいのだが、毎日の荷物の出し入れは大変である。とりわけ2人のご婦人連れとなると、何でこんなに荷物が必要なのか——もちろん口には出さないが——理解できないことが多い。また、毎日まくらとベッドが変わるのは心地よい眠りの妨げである。

次はコロラド州デンバーであった。ここに三泊し、登山列車で標高4000mのサミットまで上がった。到着した際には、高地のためふわふわした感じがあったが、すぐ慣れた。ほんとうはロッキーマウンテン国立公園に行く予定だったが、あまりにも渋滞が激しい上に、道に迷ってしまい断念した。夏の観光地巡りは、こんなハプニングと隣り合わせであることを痛感した。

運転手はほとんど筆者がこなし、費用もほとんどこちら持ちであった。今までの罪滅ぼしと、今後の日本生活を快適にするためには止むを得ない労力と出費であった。途中、『未知との遭遇』[6]で有名となった、デビルスタワーを経由してラシュモア山に到着した。

この山には大統領の群像が刻まれているのだが、所詮人工物であり、そんなに大きな期待をしていなかった。ところが実際に目の前に来てみると、これが思った以上に見る者を魅了するのである。理由は良く分からないから不思議である。この日は天気が良く清々しかったのもその理由かもしれない。

二人のご婦人方も同様の感慨に浸っているところを見ると、岩山、それを囲む大自然と、偉大な大統領たちが放つ何かのオーラがあるのかもしれない。

6　1977年に公開された、スピルバーグ監督のSF映画

2回目の卒業旅行はカリフォルニア州の州都、サクラメントへ1人で出かけた。理由は、ネバダ州第二の都市リノが最近衰退著しいが、サクラメント市周辺のインディアンカジノの台頭がその原因だというので、それを確かめるためであった。

しかしカリフォルニア州の州都といいながら、ロサンゼルスやサンフランシスコのような活気がなく、カジノも見当たらない。とりあえず観光ポイントといわれる、鉄道博物館と、オールドサクラメント[7]を見て、二泊三日を地ビールで締めくくっていた。

飛行機の時間までは十分あったので、ゆっくり飲んで、早めに空港行きのバスに乗り込んだ。州都といっても街々には空き店舗が多く、観光地の人出も多くない。アメリカでよく起こっている地域格差を目の当たりにしたようだ、と考えているうちに居眠りをしてしまった。気が付いたら空港を通過したところであった。悪いことは重なるもので、次のストップまで延々と20分ほど走ってやっと止まった。

飛行機までまだ二時間くらいあるので落ち着いて、まず戻りのバスを確認した。しかし、二時間後であった。次に、レストランを探してタクシーを呼べないか聞いてみた。すると、来るのか、来ないのか、はっきりしない。外はもう暗くなり始めているので、飛行機は諦めてホテルを探すことにした。

今までの経験で、夜ホテルを探し回ると、ろくなことが起こらない。値段を吊り上げられた

7　ゴールドラッシュ時代の古い建物が並ぶ旧市街

り、食事にありつけなかったり、ポリスに止められたりするのだ。やっとの思いでホテルを予約して、暗い夜道をそこまでたどり着いた時はもう十時近かった。コンビニエンスストアで食事を買って、次はラスベガスに帰る方法を調べなければならない。

グレーハウンドのバスは、それまでに2回ほど乗ったことがあった。そのいずれも三時間ほどの短距離であった。片道飛行機は既に高額であり、グレーハウンドのバスを使って戻ることにした。これなら50ドルくらいでラスベガスに帰れる。

翌日朝、サクラメントのバスターミナルに出かけて、ベーカーズフィールド行きのバスに乗った。ベーカーズフィールドは、カリフォルニア州中南部の都市であり、ここからラスベガス行きのバスが出ていた。

ほぼ予定通り六時間くらいでベーカーズフィールドに着いたが、ここでバスのダイヤが混乱していた。夜半に出発するバスがまだ来ていないというのだ。これに乗る予定だった若者たちの話を聞くと、バスターミナルで仮眠を取りながら一夜を過ごしたという。このバスがいつ来るかも分からないし、これに乗れるかどうかも分からない。ただ待つだけしかなかった。

こういう状況になると、アメリカ人は忍耐強い。誰一人として文句を言うでもなく、ただただバスを待つのである。日本だったら苦情の山で、パニックになったことだろう。ようやく十二時間遅れでバスが到着して、幸いにもそれに乗ることができた。

アメリカの交通機関は乗客の自己責任である。飛行機に乗り遅れそうになっても、待ってはくれないし、ゲートを閉めてさっさと出発してしまう。バスも同様だ。途中の休憩でも、出発時間までに戻ってこなければ出発してしまう。1回目の休憩で、あるグループがあわや乗り遅れるか、というシーンがあった。2回目の休憩は夕食時でもあり、30分と少々長い停車だった。

筆者の斜め後方に黒人の母娘連れの乗客がいた。予定の時間になって最後の二時間のスタートを切って暫くたった時、この母娘連れがいないことに気が付いた。たぶん、先ほどの停車の時に降りたのだろうと思っていたが、そうではなかった。後方のトイレに行った時に座席を確認したら、確かあの母娘が持っていた荷物がそのまま置いてあるのだ。そう気づいたのは、ラスベガス到着30分前であった。

今振り返ると意味のある旅行ではなかったが、得たものは多かった。グレーハウンドの値段は安いのだが、乗り継ぎが多く、その過程でバスの遅れ、キャンセルなどが頻繁に起こる。このため、夜中バスターミナルで野宿するくらいの忍耐力と、他のアメリカ人に交じって次のバスを手配し直す語学力が求められる。そして、何が起こっても乗客の自己責任に帰着することだ。

家族、親せきの理解……これが難しい

単身で留学するとなると、当然家族の理解を得る必要がある。子供も独立し家から出てしまっており、留守中は細君1人になるのでこちらの説得が第一だ。幸い筆者の場合、退職前約十年間は海外に単身でいた。前々からの計画であり、後二年だ、と説得して渡米許可を得たものだ。

しかし、二年が二年半になり、また一年延びるとなっていくにつれて風当たりが強くなった。特に体調が優れない時などは娘や親せきに救いを求めるのだが、これも度重なっていくとその親せきからの理解度も低下してくる。

従って細君や親せきがやってきた時などはできる限りのおもてなしをする。細君とその妹、そして筆者の弟の嫁、いずれも自分にとっては義理の妹になるが、この御一行様が訪ねてきた時があった。この時は、リムジンをチャーターして空港に迎えに行った。ラスベガスという土地柄、リムジンはよく見かける。結婚式などお祝いごとなどの交通手段で、値段も思ったほど高くない。しかし、日本でリムジンに乗る機会はそうは多くない。よってこれは効果大だった。

それ以外にホテルのビュッフェをご馳走したり、豪華ショーの手配をしたり、グランドキャ

ニオンツアーに行ったりと、至れり尽くせりでお世話した。

細君はそれ以外に娘とともにもう1回ラスベガスに来ている。いずれも年金生活者の予算は限られており、そんなに贅沢はできないが、それなりに努力はした。

正月や長い夏休みなど、時々日本に帰国する際は、注文の品をカバンいっぱいに詰めて持ち帰った。人気があったのは、カリフォルニア産のナッツ類や、カナダ産のメープルシロップなどである。これらを帰国前に買い揃え、重たいのを堪えて持ち帰るのである。

しかし、留学二年も過ぎるとこれらの努力も神通力を失ってくる。二年半を過ぎて、もう1学科、ビジネスを専攻する時には、親せきからも呆れられた。

リムジンでご機嫌なご婦人たち

ビジネスは当初履修する予定がなかった。一方のカジノ管理は必須のクラスを全て履修し、修了認定書を受け取り、卒業式も済ませた。一旦帰国し、働き口があるか調査活動を始めようとしていた。そんなある日、日本のカジノ誘致の権威である大学教授に会う機会があった。教授はＩＲの政府顧問をするくらい、長年この分野に貢献の深い方だった。その教授曰く、ＩＲ実現が相当先になるというのである。当初はオリンピックが行われる２０２０年くらいには開業できるかもしれないと聞かされていたが、実際は早くて２０２５年だとのことである。

またしても筆者の目論見が大きく狂ってきた。日本に帰っても活躍の場がまだなさそうなのである。三か月近くの夏休みの間迷っていたが、結局同じ学校でビジネスを第二専攻として履修することにした。理由はもともと取りたかったＭＢＡのクラスの一部が履修できるし、カジノ管理で取ったクラスの幾つかが科目免除扱いになったからだ。また、ビジネスとのダブル履修で、職探しの際有利に働くのではないかと考えたからである。

しかし問題があった。費用と家族、親せきの理解であった。ビジネスは夏期を入れた三学期で10クラスを取るので、一年がかりである。費用の方は退職金の一部を充当すれば何とか計算が立った。

しかし難関は家族、親せきの理解であった。後一年、と説得したが、結局理解は得られなかった。それもそうだろう。普通の人には、何故わざわざ海外まで出かけて、大金を使って勉強しなければならないか理解できないだろう。その気になれば日本にも学校がいっぱいあるのだ。

しかし、第二の人生くらい、実現の可能性が小さくてもその夢に向かって挑戦させてもらってもいいと思うのだ。誰しも同じであろうが、第一の人生は家族のため、仕事のため少なからず我慢の人生を送っているのだ。独身の人でも、親せきや周りの人々の目の中我慢の人生を送っているに違いない。

もうこうなれば、本人の意思がどれだけ固いかにかかっている。最後は説得したというよりは、呆れられて日本を出発した。しかし、後から振り返るとこのビジネスの10クラスから得たものの方が大きかったのだ。

とにかく出席。内容の出来、不出来はともかく、宿題は必ず期日までに提出する

コミュニティカレッジは、通常高校を卒業して通う公立の大学である。ここで必要な単位を修得して四年制大学に編入するのが一つのステップである。しかし、働きながらここで勉強し、

スキル向上を目指す社会人は多い。また、学費を稼ぐために働く学生も多い。CSNでは、2020年に全学生3万1000人のうち、約四分の三の2万3000人が働きながら勉強している。[8] 仕事終了後に勉強する学生のため夜6時から10時までのクラスも多かった。午前中のクラスを取って午後から働く場合や、中には、夜中働き、8時に始まる朝一番のクラスに通う学生もいた。

こういう学生は、止むを得ぬ理由で欠席し、授業中にうたた寝する姿もよく見かける。従ってクラスの出欠は必ずチェックされる。教官によって違いはあるが全評価ポイントのうち、出席で得られるポイントが10~20%を占める。前述のマルタ先生の場合は、合計3530ポイントのうち280ポイント、8%となる。また、ベーカー先生の場合は、合計1000ポイントのうち200ポイント、20%となる。

後で詳しく説明するが、この出席ポイントは概ねABCDFの評価を1ランクから2ランク上下させる。つまりBがAになり、その逆もある。また、このポイントが不足するためにF、つまり落第させられることもあるのだ。

筆者たち留学生は基本的に就労できないので、勉強のみしていればいいのである。いわゆるフルタイム学生である。働きながら勉強している学生にとってはうらやましい限りだろう。この利点は生かさなければならない。

8　Collage of Southern Nevada　公式サイト

自慢するわけではないが、筆者の場合は三年半でクラスを欠席したのは一日だけであった。他にやることがないこともあったが、病気やアクシデントなどに見舞われることもなく過ごせた幸運があったための結果だ。その一日の休みは、日本からの飛行機便が高額で取れず、クラスの初回の授業を休んでしまったものだ。このクラスは2回目のクラスが休講になったこともあり、またその間の課題も知らされないままでドタバタした記憶がある。クラスは必ず出るようにしよう。特に初回、2回目のクラスは重要である。

また教官によっては、決められた試験の日程を変える、新たな課題を課すなど予想外の変更が入ることがある。試験の日程が変われば、その準備をしなければならない。場合によっては試験内容を漏らしてくれることもある。新たな課題は、救済ポイントとなり、ポイントの少ない学生たちの落第を阻止する狙いがある。このような情報を聞き逃さないため、クラスには出なければならない。あるいは信頼できるクラスメートをつくり、頻繁に情報交換することだ。

先に述べた理由により、課題未提出や遅れも頻繁に起こる。課題未提出はその分のポイントはゼロである。課題の遅れも多くはゼロポイントだが、エッセイなどの課題の場合は救済措置もあった。例えば、提出期限後一週間以内であれば、10%のペナルティーで提出可能となるなどだ。教官によっては、あまりにも学生に遅れが目立つと、注意喚起のメールや、提出期限の猶予をすることもあった。

こんな状況である。幸いにもフルタイム学生である我ら留学生は、授業は出席しよう。そして、必ず期限までに課題を提出しよう。課題によっては難しいものもあるのだが、その出来不出来は二の次に、とにかく期限までに提出しよう。

健康管理

筆者にも持病は多い。幸い内蔵系には大きな持病はなかったが、緑内障[9]、ぎっくり腰、首のヘルニア、湿疹など歳相応にいろいろ問題があった。海外で一番困るのは病気になることだ。従って、食事や規則正しい生活、適度な運動など健康管理には気を付けた。

東南アジア駐在中には頻繁に下痢に悩まされた。一度はアメーバ赤痢という重度の下痢にかかり、薬の副作用と併せ半年ほど苦しんだことがあった。幸い駐在地はその国の首都であり、日系の医院や、政府から派遣された日本人医師が常駐していた。何かあったらとにかくそこへ行けばよかった。

留学早々ラスベガスの街で日系の医院を探した。Dr. Kamisato は筆者の住居から少々離れた

9　視神経という器官に障害が起こり、視野（見える範囲）が狭くなる目の病気

北ラスベガスで開業していた。糖尿病など内科の医者であったが、唯一日本語が通じるようだったので、いざとなったらここへ駈け込もうと決めていた。結局、その後三年半縁はなかったが、振り返ると幸運だったと思う。

夜は外食が多かった。アメリカの食事は肉系が多く、コレステロール過多になるので注意しなければならない。またボリュームも多いため、外食時は半分持ち帰ったりして食べすぎないようにした。朝食、昼食で自炊する場合は日本食を中心とし、野菜系を多く取るように心掛けた。それでもカロリーの高い食生活になってしまうので、歩いたり、走ったり、できるだけ運動をするようにした。

ジムは郡の施設をよく利用した。郡のコミュニティセンターが市内に十か所くらいあり、ジムの施設も備えていた。コミュニティセンターは、子供たちのアフタースクールの活動や、キャンプ、セミナーなどが行われており、日本の市民センターと市のスポーツセンターを合わせたような施設だった。手ごろな料金設定で、ジムは月16ドルで利用できた。勉強の休憩がてら30分ほど汗を流す程度だが、毎日やれば体力の衰えの防止くらいの効果はあった。

日本に年2～3回帰国していたが、その都度時間を作って人間ドックには必ず行っていた。

幸いなことに赤信号が灯るようなことはなかったが、中性脂肪やコレステロールは常に高かった。また、インフルエンザの予防接種や、眼医者、歯医者、皮膚科医院など一年分の診察と薬の処方は欠かさず受けた。各先生方からは、最低半年に一度くらいは診察に来るように言われるのだが、当時は年に1回が精一杯であった。このおかげもあったのか、三年半大病なく過ごせたのかもしれない。ちなみに帰国後の今は半年に一度くらい各先生方の診療を受けているが、最近は最低三か月に一度は来るように言われている。

第五章

学生生活

一日の生活パターン

学校の仕組み――当然筆者の通っていたＣＳＮに限るが――をおさらいしておく。他校とそう大きな違いはないと思うが、基本的に金曜日は授業がないので、週休三日になる。ただし、実務関係のクラスは社会人が受講するため金曜日の午後と土曜日に集中するものもあった。

授業は原則90分で、場合によっては、60分、１１０分という授業もあった。朝は8時から始まり、夜は10時で終了する。

筆者は、予習が大変なので一日最大2クラスまでの履修にしていた。また、効率も考えて、朝一と深夜クラスを除いた連続のクラスを取るよう努力した。うまく続きのクラスにならない場合もあったが、だいたい午前中に終了するか、反対に午後だけかの2パターンであった。

家では予習や、課題をこなすのだが、これにはパソコンを使うことが多く、一時間もパソコンと睨めっこをしていると目が痛くなる。そこで目を休めるために一時間程度の休憩を取った。この時間は、買い物に充てたり、散歩したり、ジムに行ったり、できる限り目の負担にならないように行動した。暗くなってくると更に目が疲れるので、勉強は暗くなり始める5時過ぎには終えていた。

これにより、次のようなパターンが生まれた。午前中一時間勉強、一時間休憩、また一時間勉強。そして昼食。午後も同様で、原則一日四時間を勉強に充てた。もちろん一時間より長い時間勉強し、一時間より長い時間休憩したりする場合もある。またどうしても必要な場合は、もう一時間勉強に充てたりした。

若い学生と違って、夜中集中して徹夜状態で予習や、課題をこなすことは翌日に影響するのでお勧めできない。従ってこのリズムをできるだけ崩さないように一日を過ごした。授業がある日とない日で異なるが、授業がある日は、午前か、午後が学校となるので、一～二時間しか勉強しないが、毎日続けていればこれで十分通用する。

逆にこれで勉強時間が足りない場合は、履修クラスが多いか、勉強の仕方が間違っているかのどちらかである。手の抜き方を考えた方が良い。例えば、ウェブクラスの試験をクラスメートと分担したりしても良い。時間差で試験を受ければ、先に受けた人が、後に受ける人に答えを教えることができる。

しかし、振り返ってみると筆者はギブ（与える）が専門となり、テイク（与えられる）がほとんどなかったため、クラスメートの勉強のチャンスを取り上げてしまった恐れがある。助けられた学生は喜ぶのだが、生活するため仕事が忙しいとか、親の看病で勉強できないとか、クラスメートの事情を考慮して援助した方が良い。

学校には前述の長い夏期休暇と、一か月ほどのクリスマス休暇がある。これとは別に、9月の第一月曜日の労働者の日、2月の第三月曜日のワシントン誕生日などの祝日があり、連休になることがある。しかし、何故かのんびり過ごした記憶は少ない。新しい課題が課せられる、あるいは後回しになっていた課題をこなさなければならないなどで時間が過ぎていった。

実際外は人々で溢れかえっていることは街を歩けば分かるし、わざわざこんな時に旅行に出かける愚を犯さなくても良い。長い夏期休暇に回した方が、コスト面、時間の効率的使用の面でも利がある。周りの陽気な観光客に交じって、行きつけのエリスアイランドで地ビールを飲めば、量は増えるが、その程度のことでもそれなりの休暇気分で夜が更けていく。

クラスメートと交流を深めるとかの選択もあるのだが、残念ながら社交術に乏しい筆者にはそのような機会は多くなかった。なかなか歳の差が大きくて、お互い学校以外の共通の過ごし方を見出すことは難しかったと言い訳をしておこう。せいぜい一学期中に一度か二度、クラスの仲間全員で昼食会とかをするくらいであった。

この結果、幸か不幸か勉強することしかやることがない状態になった。しかし悲観することはないのであって、人々の間に飛び込んでいく積極性のある人であれば、仲間の輪は十分広がり、学生生活の彩りも増すと思うのである。

部屋探しはネットを駆使

留学生活に入るとすぐ必要なのは住まいである。筆者は留学中3回住まいを変えたが、一軒目は住宅地の一軒家の1室を月680ドルで借りた。フィリピン系の女性が管理をしていた物件で、インターネットで探し出したものだ。その方法は、気に入った物件を見つけると、ネット上の連絡先にメッセージを入れ、オーナーや管理人からの返信を待つ。既に入居者が決まっていてもネット上での募集が残るケースが多いので、ヒット率は十分の一くらいだ。従って良さそうな物件を数多く打つ。投資で家を持っている人も多いので、物件の数はそこそこあった。この一軒目の部屋探しだけは留学経験者の手助けを受けた。

この物件は4部屋に既に2人が入居しており、1人が企業研修を行う女性で、もう1人が州立大学で会計の勉強をしながら、インターネットでスポーツ配信する会社に勤める若者だった。筆者は、このうち二番目に大きいバス、トイレ、家具付き、光熱費込みの部屋に入った。台所は共用で、冷蔵庫や戸棚などは専用スペースが割り振られた。活動時間が3人それぞれなので、台所が混雑したりするようなことはなかった。その他、洗濯機と乾燥機も共用だったが、週一回程度の筆者にとって不自由はなかった。また、家はアメリカサイズなのでお互いの生活ノイズなどはほとんど気にならなかった。

しかし、問題は出てくるものである。この家の周りにはハトが多く住んでいて、筆者の部屋のベランダに巣や、ハトのたまり場があった。ハト自体平和の使者であり問題なさそうではあるが、さもあらずであった。

勉強中にグーグーと数羽で合唱を始めるのだ。これがだんだん気になり始めて遂にハトとのバトルとなった。詳しくは割愛するが、この住宅団地の中にハトにエサを与える人がおり、数が集まる上、筆者の部屋まわりはハトの好みに合うらしい。巣を作りそうな窪みを塞いだり、蛇のおもちゃを置いたり、CDを吊るしたりしたが効果は上がらなかった。結局筆者の敗北で決着し、契約期限の一年で出ることになった。

たまたまルームメートの若者、サニーが管理人と何故か、部屋の後かたづけをめぐって争うようになっていた。そこで彼と相談したところ、2人して契約を解消して、2ルームのアパートを借りることで話がまとまった。筆者が出した条件は、行きつけの地ビール店に近いことであった。

後で分かったことだが、女性の部屋は筆者より一回り大きかったが、筆者より180ドル安で借りており、サニーは小さい部屋だったが、230ドル安であった。筆者は吹っ掛けられていたのだ。安くするからと管理人に遺留されたが残る気はなかった。

この管理人は我々が転居するのに前後して、何故かこの家に住み始めた。詳しい事情は分からないが、「今までの弁護士を首にした」とか言っていたので何かの訴訟ごとに巻き込まれていたと思われる。入居当時に見せてもらった豪邸や、レクサスなどの高級車を失ったようで、以前のような羽振りの良さは消えていた。高級品の輸出入や、不動産管理などのビジネスを手広く手掛けていたが、成功があれば、失敗もある。アメリカンドリームの逆を行く出来事がこの一年間で起こったのだろう。

アパートもいろいろあるが、その違いは立地が一番大きい要素だと思われる。いわゆる収入の多い人々が住む地域にあるアパートは、新しく、内容も充実しているが高い。ラスベガスで言えば、北西部だ。中流の1ルームアパートでも、光熱費を合わせて月1000ドルは超えるので、一人でアパートに住むのはもったいない。

サニーとともに選んだのはラスベガス東南部の州立大学に近いアパートだった。空港が近いため離着陸の航路上になり、風向きによって騒音が気になるのが難点だった。しかし、値段は安かった。筆者が分担していたのは、光熱費込みで月450ドルであった。前の住まいより230ドルも安かった。冷蔵庫や食器洗浄機、電気コンロなど台所用品は一応あったが、その他ソファやテーブル、椅子などは2人で分担して買い揃えた。

このアパートには黒人やヒスパニック系の住民も多く、お世辞にも環境がいいとは言えなかったが、トラブルはなかった。サニーは韓国系アメリカ人であったし、筆者は日本人であるから、我々もマイノリティー、つまり民族的少数者だからお互い様であった。

このサニーについては特異なので後述することにするが、とりあえずカジノ管理の卒業まで一年半をここで過ごした。

最後の住まいは、同じくラスベガス東南部であった。例によってインターネットで調べて見つけた2ルームのコンドミニアム、いわゆるマンションであった。大きい方の部屋には既に入居者がおり、筆者は小さい方の部屋に月500ドルで落ち着いた。光熱費は別料金であった。

当時アメリカは好景気で、物価が年々上昇している時期であり、部屋の値段も目に見えて上昇していた。結局、光熱費を含めれば、月約600ドルとなったが、決して高い方ではなかった。

契約時に苦労したのは、クレジットスコア[10]がないことだった。アメリカではローンやクレジットカードの審査など以外でもいろいろこれが活用されていた。日本では個人にまで普及していなかったため、この提出ができなかった。

オーナーは、支払いでトラブルが発生することを一番嫌う。従って、支払い能力を確認することは当然の要求であった。当初、契約の半年間全額の前払いを要求されたが、銀行の残高証

10　信用情報を一定の指標で数値化したもの。お金を貸したらきちんと返済するかどうかを「信用偏差値」として表す

明などを出して、二か月の前払い、プラス一か月分の保証金を払うことでようやく決着した。アメリカでクレジットカードを持つことの難しさと併せ――これは後述するが――個人の信用度を示すことは意外に難しい。

このコンドミニアムの住人は、前のアパートよりは若干収入が多いようで、白人も多数いた。周りはショッピング街で、モールを中心として多くの店が利用できた。

どこにも問題はあるが、ここは同じく航空機の騒音と、ホームレスが多いのが気になる点であった。ホームレスは黒人やヒスパニック系の人々が多いと思いきや、全く違っていた。意外と白人が多いのである。しかも夫婦でホームレスというのが目につくのだ。アメリカは好景気とはいっても貧富の差は激しく、目に見えて住居費が高くなっていることを思うとホームレスが増えるのは必然かもしれない。そしてそれは白人にも例外ではなかったのだ。

彼らは、道行く筆者のような1人で歩いている者から小銭をもらって、あるいは交差点に立ち、信号待ちのドライバーから支援を受けながら細々と生活している。スーパーマーケットでは、朝、売れ残りの食品を廃棄、兼配給するので、筆者の住まいの周りはそれを頼りにする人々が多かった。

建物内にも問題があった。初日の夜中に天井からドタドタと音がするのである。また暫く日が経つとドタドタと音がする。決まって夜中である。後で分かったことだが、それは人の歩く音と、犬が走る音が上階から響いてくるのだ。

たまたま行きつけにしていた地ビール店のバーテンダーが、筆者を自分のコンドミニアムで見かけた、と言っていたので試しにこのドタドタ話をしてみた。すると、何と筆者の上階はこのバーテンダーが所有していると言うのだ。確かに、夜中まで仕事をして家に帰ると、2匹の犬が喜んで走り回るということだ。それ以来ドタドタはめっきり少なくなったが、それでも走り回る時は棒で天井をたたく許可をもらった。それが効いたのか賢い犬たちはその後筆者たちを夜中悩ますことはなくなった。この経験から、安ホテルで泊まる時はできるだけ最上階を取るように対策した。当然、自分が加害者にならないようにも留意した。

もう一つ欠点があった。今までの二軒はバスタブを備えていたが、この部屋はシャワーのみであった。ラスベガスは砂漠の街で、日中は暖かいが、朝晩はグッと冷える。しかも、11月くらいから日中でも温度が下がり始め、2月くらいは雪が混じることもある。

このような時にシャワーだけというのは、寒くてこたえるのである。特に風呂好きな人や、ゆっくり温まりたいと思う人は、是非バスタブ付きの部屋をお勧めしたい。このために、1回16ドルを払って、ジャクジ、サウナ付きの韓国スパに繁く通うことになった。先ほどの対策に加えて、ホテルで泊まる時はバスタブ付きの部屋を取るようにした。安ホテルでは意外とバスなし、シャワーのみが多いのである。

入居に際しては当然オーナーと契約を結ぶ。オーナーによってその内容の詳しさは違うが、契約の主な内容は以下の通りである。

①貸主および借主の住所、氏名
②借用期間
③借用料金月額、保証金、前払い借用料金、その他部屋の鍵などの保証金
④別途必要な光熱費（例えば、電気代、水道代、プロバイダー費用など）
⑤各種料金の支払い方法と支払先。遅滞の場合のペナルティー
⑥修理費やメンテナンス費用の分担（例えば、２５０ドル以下の軽補修は借主負担など）
⑦注意事項（ペット、友人等の宿泊、ルームメートとの共用ルール、駐車場、メールボックス、緊急連絡、薬物の使用など）
⑧貸主の免責事項
⑨退出時の事前連絡と進め方（例えば、一か月前までに連絡する）

最後に住んだコンドミニアムの場合、入居時に１８９８ドルを支払った。内訳は、保証金：

750ドル、賃料の前払い金：1000ドル、鍵およびゲートのリモートの保証金：65ドル、五日分の日割り賃料：83ドルであった。

このコンドミニアムの退出時にトラブルがあった。一か月前に退出日を連絡し、オーナーとともに部屋のチェックをしようと準備をしていた。当時、オーナーはロサンゼルスに住んでいて、何らかの理由でその日に来れないと連絡が入った。この日には保証金の750ドル、賃料の前払い金500ドル、および鍵、ゲートのリモートの保証金65ドル、合計で1315ドルが返金される予定であった。

筆者はその数日後には帰国予定にしていたので、何度かオーナーに連絡して会おうとした。しかし、所用のため来れないとの返事は変わらなかった。

オーナーは、ヒスパニック系の女性でハイスクールに通う子供たちがいた。ラスベガスに二軒のコンドミニアムを持って、賃貸に出しており、それとは別に賃貸物件の管理も手掛けていた。その賃貸料や手数料は全て子供たちに消えていくと嘆いていた。入居時と、途中一度会った時の印象は悪くはなかった。しかし、返金する金がないのかもしれなかった。

ホワイト先生のビジネス法規では、アメリカの多くの人々は安易に裁判を起こし、また訴えられてもこれを軽視する国民性であることを学んだ。そこで催告状だけは出すことにした。Eメールと郵送にて送付したらすぐ返事が来た。ネバダ州法ではこれら返却金は、退出後一か月以内に払えば良いと、法律を出してきた。相手はこの業界のプロである。しかし払うつもりはあるらしい。

暫くしてオーナーから連絡が来た。Zelleというアメリカで普及している個人間の送金システムで、１３１５ドルが引き出せるというものだった。しかし、無料でスピーディーとのうたい文句にかかわらず、何度トライしてもこのZelleがうまく登録できなかった。

再びオーナーに連絡し、筆者の口座への送金を依頼した。結局送金を確認したのは退出日を一か月以上過ぎた9月の末であった。

車＋保険の留意点

ラスベガスではバスが縦横に走り、市内はおおよそどこへでも行ける。しかし、車があった方が移動の効率は格段に良い。筆者は七年使用した中古のトヨタカローラを７５００ドルで買って愛用した。これも留学経験者の手助けを受け、インターネットで探し出して買ったものだ。

その方法は、住まいと同じく気に入った車を見つけ、ネット上の連絡先にメッセージを入れ、返信を待つ。車の場合はヒット率が比較的高く、半分近くは返事が来る。後はオーナーと約束をして、試乗し、値段、その他交渉をして買い上げる。

車は、値段が高くなるが、できれば十年以内の新しい日本の中古車にしたい。日本車は人気が高く、古くなっても値段が落ちないことと、故障の率が小さいことがその理由である。事実、三年半で修理したのはバッテリーだけ、これは夏休みに三か月半置きっ放しにしておいたために起こった筆者のミスであった。それに定期交換部品であるヘッドライトバルブだけであった。

一方クラスメートで親友のK君は十五年経ったレクサスを3600ドルで買って乗っていた。筆者が知っている限り、エンジン、トランスミッション、サスペンション、フューエルポンプの修理や交換で数千ドルを支払っていた。挙句の果てには、小型トラックにぶつけられ、ボディー含めてほとんど全部品交換の状況だった。運不運はあるができれば新しい車の方が結局安上がりになる。

次は自動車保険の購入である。これには幾多の種類があり、値段も幅広いので注意を要する。最初は大手のステートファームの事務所に出向き、687ドル／半年の保険を買った。しかし、会社の方針か、担当スタッフの悪意か分からないが次から次へと追加支払いを求められ結局1000ドル近い支払いをさせられた。

これに懲りて契約の半年を待たず保険を替えた。次はセーフコという中堅の保険会社で、日本人の保険ブローカーを紹介してもらい購入した。前のステートファームと同じような条件ながら、１４６７ドル／一年であった。恐らく年間５００ドルは安くなったとみられる。

しかし、日本でも同様だが保険を使うような事故の確率は低い。そこで最後の一年は、同じブローカーに、法定で最安の保険を売ってもらった。これが、プログレッシブという保険会社の４１２ドル／半年であった。

大きな違いは事故時の人に対する補償額と、物に対する補償額、ロードサービスがあるかないか、およびレンタカーである。例えばステートファームやセーフコの場合は人に対する補償額と、物に対する補償額はそれぞれ２万５０００ドルであるのに対し、プログレッシブは１万５０００ドルになる。もちろん事故時のロードサービスやレンタカーなどはない。

一般的にアメリカの道路は広くて、人や自転車などが少ないため運転はしやすいが、スピードが速いため一旦事故となると大きなダメージになりやすい。保険内容は、自分の日本での事故実績や、運転技量で決めれば良いが、いざという時に面倒見の良さそうなブローカーを紹介してもらって、その人からできるだけ安い保険を買うのが理想である。ただし、ブローカーは当然高い保険料の方が実入りも多いので、そのバランスは考慮する必要がある。

自動車保険の話がでたので、医療保険についても触れておく。医療保険は学校で強制的に加入させられ、支払いが完了しないと、クラスの履修登録ができない。年によって若干の違いがあるが、一学期700〜800ドルになる。高額だが、これでも学生割引で格安となっている。筆者は三年半で一度だけこれを使ったが、ほとんどの若い留学生は掛け捨てになると思われる。その一度は目の痛みから医療機関にかかったのだが、最初どこに行ったらよいか分からなかったためインターナショナルセンターで相談してみた。

その時分かったのだが、アメリカでは病気の時は、診療所のいわゆるホームドクターのところへ行き、医者や病院の紹介を受ける。

ホームドクターのいない我々留学生は、緊急診療所へ行く。これは結構多く、身近にある。ここで処置してもらって、完治しなければ医者や病院の紹介を受ける。

筆者の場合は、春先の砂埃のため目に傷ができていたらしく、専用の目薬を処方してもらい、スーパーマーケットの薬局で購入した。この時の診療費と目薬費用は保険のおかげで2〜3割の個人負担で済んだ。確か20ドルくらいと記憶している。しかし、手術や入院ともなると個人負担も高額になるので、健康には留意したい。

買い物は賢く

買い物には大きく分けて2種類ある。一つは食料品類であり、もう一方は机、椅子、ベッド、ソファ、本棚などの家具や台所用品などの日用品だ。特に家具なしの賃貸ルームの場合は、ベッド、机、椅子などがすぐ必要になる。これらを調達するには大きく三つの方法がある。一つはホームセンターなどへ行って、新品を購入する。二つ目は、Goodwillなど中古品の買い取り、販売店で中古品を購入する。そして最後は、筆者がよく利用したガレージセールで買うことだ。

ガレージセールは毎週末の朝8時くらいから始まる。ラスベガスの場合は高級住宅街のある西北部が狙い目になる。住宅街を車で走ると、セールという表示が出ているのに気づく。その指示に沿って行けばその場所にたどり着く。週末によって違うが年末や、8月の異動のシーズンは一回りで十軒ほどのセールに立ち寄ることができる。

ガレージセールでいい品を安く仕入れて商売しているような人がいるので、できるだけ土曜日の午前中に行くようにしていた。早く行かないといい物はすぐ売れてしまう。筆者はベッド、と言ってもマットレスのみだが、寝具、勉強机、椅子、台所用品などほとんどガレージセールで調達した。机10ドル、椅子5ドル、ランプ7ドル、マグカップ1ドル……とか、とにかく安い。そして帰国に際してはほとんどごみ置き場に置いてきた。リサイクルの国らしく、そうするとまたそれを使う人が出てくるのだ。

中古品が気になる人にはお勧めできないので、そういう人はホームセンターなどへ行くことになる。家具などはインターネットを使って最寄りの家具店に注文すれば届けてくれる。もちろん自分で取りに行けばもっと安い。また近年はアマゾンなどのネット通信販売が、あらゆる商品を安く届けてくれるのでこれを利用するのも良い。

ルームメートとの共用の関係で、どうしても新品を買う必要が出てくるが、帰国に際してはガレージセールを行うほど品が集まらないし、持ち帰ろうにも電気製品など日本では使えないものもある。結局友人にあげるなどして処分することになるので、これを考慮して購入する必要がある。

食料品類の購入は、どんな食生活をするかで個人差があるので一概に言えない。筆者のような日本食党であると、朝は味噌汁、ごはんを食べないと何か元気が出ない。アメリカの都市部であれば、日本食店や、韓国系スーパーマーケットなどがあり、だいたいの日本食材は手に入る。しかし、カリフォルニア米など一部の例外を除き、概して古い。そしておいしくない。

そこで筆者は帰国に際して、味噌や醤油、レトルトカレーなど、大量に持ってきた。中には魚の干物なども少々持ち込んだが、こういう食品はアメリカでの食生活を豊かにさせる。

もう一つの留意点は、小売り単位が非常に大きいので注意を要することだ。そこで筆者はできるだけ個別売りをする食品マーケットへ行って、小単位で買うことにしていた。毎日のように買い物に行く必要があるが、腐らせたり、早く消化しなければとのプレッシャーに苛まれるよりは増しである。

買い物で注意事項がある。それはいわゆる割引である。これには大きく3種類ある。日用品、食料品やファーストフードに付いてくるクーポンがその一つだ。毎週週末になるとメールボックスにクーポン付きのチラシが山のように入ってくる。大多数はごみになるのだが、時々使える物がある。例えばドーナッツ2個とコーヒーのセット割引のようなものだ。コーヒー無料のクーポンが入ってくる時もあるが、気が付けばハンバーガーやチキンナゲットなども買ってしまうので注意を要する。

日用品ではないが、グルーポンなどネット割引も大きい。前述の韓国スパなどは、日によっては三分の二から半額で利用できた。他に、High Roller（大観覧車）、射撃場、洗車場、レストランなどがかなりの割引で利用できる。ショーやビュッフェなども、人気のあるものは別として割引で売られていることが多いので事前にネットで調べると良い。

もう一つは、クリスマスセールや、サマーセールなどの季節セールだ。この分野は詳しくはないが、クラスの女性陣などに言わせると、昨日まで１００ドルで売られていたものが30％引き、50%引きで買えるのは魅力らしい。

特に、11月終わりの感謝祭翌日の金曜日は、ブラックフライデーと呼ばれ、買い物客でショッピングモールは大混雑する。朝の6時からオープンという店が多く、お目当ての電気製品などを買い求めるため、真夜中から外で並ぶことも名物になっている。

生活必需品は何？

アメリカではだいたい何でも手に入る。従って大量に荷物を送り込んだり、持ち込んだりする必要はない。どうしても持って行かなければならないのはおおよそ次の品目となる。

まず、衣類だ。アメリカの衣類は概して大きく、筆者のサイズはほとんど手に入らない。どうしても必要になった場合は、女性ものか、ジュニア売り場へ行って探すのだが、それでも色やサイズに制限は多い。従って衣類は日本から持って行かなければならない。

学生である限り、普段はジーンズとTシャツで問題はない。しかし、クラスでの発表などで稀にブレザーが必要となることがあるので一着のみ持って行った。また、冬は寒くなることがあるので、厚手のカジュアルコートが要る。

靴も日本から持って行った方が良い。靴も日本人には大きすぎて適当なサイズのものは見つからない。

筆者は、下着類一週間分、ジーンズ二本、Tシャツの長袖、半袖各三着、ブレザーとカジュアルコート各一着、運動着二着を標準装備として日本から持ってきていた。靴はランニング兼通学用の一足と、ゴルフ兼通学用の一足、およびサンダルを持って行った。部屋の中ではスリッパが必要なので、航空機内で配られるものを使っていた。

次は常備薬などだ。女性なら専用の化粧品が加わるし、これは人によって様々である。筆者は、緑内障を患っているので、専用の目薬、また、皮膚の湿疹を起こすので専用のクリームなどを持ってきていた。留学途中には、目の疲れが気になりだしたので、専用のサプリメントを飲むようになった。冬場は特に乾燥するので、皮膚のひび割れなど専用の塗り薬を医者に処方してもらって使っていた。

現地での病気を想定するときりがないのだが、インフルエンザは日本以上に蔓延するので、かかると思った方がよい。インフルエンザを患うと、完治するまで長くて一週間くらいはかかるので、そのくらいの風邪薬は持って行った。

実際アメリカにもインフルエンザ用の薬はあるとは思うが、医者や薬剤師に処方してもらう必要があり、専門用語も理解できないし、話せないため日本の薬に頼っていた。毎年のようにインフルエンザにかかり、一週間くらいで治っていたが、日本の薬が本当に効いたかどうかは不明であった。

その他、市販の胃腸薬や歯の鎮痛薬などは念のため処方してもらって少し持っていた。また、衣類の虫よけ、アリやゴキブリの予防剤なども信頼性が高いような気がしたので日本から持ってきた。アリやゴキブリなどはある日突然大量に現れたりするので油断がならない。

電気製品は日本の物がほとんど使えるが、発熱量、つまりワット数が大きいのでドライヤーや、電気湯沸かし器、アイロンなどは危険である。どうしても必要なら海外の電圧に対応した製品を持ってくる必要がある。

筆者が持って行った電気製品で必需品だったものは、パソコン、その周辺機器、電子辞書、電卓、スマートフォン、ボイスレコーダー、小型目覚まし時計、加湿器であった。スマートフォンは、日本の某会社の機種を使い、アメリカで使っても、日本で使っても料金は同じであった。アメリカに子会社があるため、このようなサービスが提供できるのだろう。加湿器は変圧器を付けて使っていたが、無理して持って行かなくても現地でも調達できる。

これらの荷物を持ち込むに際しては、古いサムソナイトと段ボール箱を使った。アメリカ出国時は何故か毎回ＴＳＡによる荷物検査を受けた。ＴＳＡとは、Transportation Security Administration の略で、アメリカ国土安全保障省の運輸保安庁のことだ。この検査を受けると、鍵が掛けてあろうがなかろうが開けられてしまうので新しいサムソナイトは、鍵が壊されるので使えない。ナッツ類などのお土産品は10 kgほど入れてはいたが、他に不審なものはないはずである。何らかの理由でグレーリストに名前が載せられていた可能性がある。

帰国時は、ほとんどの家財道具を処分するのだが、書籍、ノート類や、まだ使える衣類など別途送付する必要が出てくる。これらを段ボール箱に入れて送付するには二つの方法がある。一つは日系の引っ越し業者、例えばヤマトや日本通運などに依頼することだ。今一つは郵便局へ持って行って郵送してもらう方法だ。

ある程度個数がまとまれば引っ越し業者に頼んだ方が安くて、安全だと思うが、2～3個の場合は郵便局の方が割安と思われる。多少時間がかかるが、今までトラブルになったことはない。

銀行は最低一つ

現地の銀行口座は最低一つ持っていなければならない。筆者の場合はたまたま銀行口座を持っていたので新たに開設する必要がなかったが、特に難しいことはない。社会保障ナンバーを持っていれば、インターネットでも開設できるが、通常は窓口へ行って手続きする。

この時必要なのはパスポート、アメリカの住所、携帯電話番号と、頭金100ドル程度である。ある程度まとまった資金を預ける時は、もう一人、別の口座名義人を付けることを勧められる。万一の場合面倒なことになるのを防ぐためだ。普通は、自分の子供とかにするのだが、その場合はその共同名義人も同席の必要がある。

銀行では口座開設とともにデビットカードを発行してくれる。そしてこのカードが一枚あればほぼ国内の支払いは済ませることができる。しかし、時々クレジットカードが必要になることがあるので、筆者は日本のクレジットカードを一枚持っていた。

現地の銀行でクレジットカード発行の手続きを何度も試みたが、結局社会保障ナンバーを持っていないため実現しなかった。社会保障ナンバーは日本のマイナンバーに相当するが、雇用を証明するレターや、就労許可を証明する学校からのレターなどが必要となり、留学生のビザでは取得が難しい。校内でアルバイトをするとか、インターンシップを行う以外は学校から就労許可が下りない。

銀行口座は通常チェッキングアカウントと、セービングアカウントの2種類を開設する。日々の支払いはチェッキングアカウントで行い、セービングアカウントは資金の動きは少ないが、その分利子が多い。銀行や、預け入れ金額によって違うが、少なくとも日本の現在の低金利よりは多少良い金利となる。銀行は、支店やATMの数が多い方が便利なので、大手金融機関で口座開設することになる。

留学を終えた現在でも口座はそのままになっており、時々アマゾンやホテルズドットコムなどの支払いは、このデビットカードを使っている。一部のアメリカ系の会社に限っては決済ができるため、為替相場を睨みながら使用している。

第六章

留学費用

年間約3万1000ドル

三年半の留学でかかった費用は約11万5000ドルであった。この中にはアメリカ国内の旅行費用などが含まれるので、それを差し引くと年間約3万1000ドルになる。このうち一番高額なのは学費である。2017年の実績で、学費は1万2300ドルであった。この中には授業料、教科書代、文具などが含まれるが、授業料が大部分を占める。

アメリカ国民であれば1クラスの履修で200~300ドルなのだが、留学生の場合は特別料金が設定されている。筆者の場合は、各学期に法定の4クラスを履修することにしており、一学期約6000ドルの授業料を納めていた。これがもう1クラス増えても、何故か総額はほとんど変わらなかった。夏期は通常料金になるのであまり負担にならないが、2017年は、1万1700ドルの授業料負担になった。アメリカ国民と比べれば五倍近く余分に授業料がかかる。このためアメリカの大学は経済的理由から、留学生の誘致に積極的で、これは筆者の通っていたCSNも例外ではなかった。

留学終了して一年半が経過した現在でも編入を勧める各地の大学から誘致のメールが入ってくる。その多くが私学であるが、マサチューセッツ州のハーバードエクステンションスクール[11]などからも勧誘があった。

11　ハーバード大学の社会人向けスクール。提供している分野は、歴史、ビジネス、科学、芸術、コンピューターサイエンスなど多岐に渡る

次に多いのが酒を含む食費だが、2017年実績で8000ドルであった。このうち外食が5600ドルと半分以上を占めており、筆者のように夜を地ビールとともに過ごしていると、多少大目にかかる。

残りは食品であり、年間2400ドルほどになる。筆者は朝と昼が自炊で、主な食品とすれば、米、野菜、果物であり、これらはアメリカではお値打ちに買うことができる。

肉は時々買ったが、一単位が大きいためルームメートと分けたりしていた。一ポンド（453g）以上が標準的な販売単位で、時々四分の一ポンドのひき肉などを注文したが、あまりにも少なすぎるのか、1回で通じたためしがない。筆者の発音にも当然問題があるのだろう。

また、魚介類は概して古いため買うことはほとんどなかった。近くにフィリピン系のフィッシュマーケットなるものがあったが、海育ちの筆者の眼鏡にかなう魚は置いていなかった。

次は家賃、電気代などの住居費、光熱費で、2017年には6600ドルかかっている。このうちほとんどが家賃で、年5300ドル支払った。カリフォルニアなどに比べ、家賃は半額から三分の一くらいと思われるが、それでもまとまった支出となる。光熱費は、ルームシェアをして2人で共用する前提でも、インターネットのプロバイダー費用含めて月100ドルは予定した方がよい。

携帯電話については、日本で使っているものだが、アメリカで使っても追加料金が取られない仕様だった。しかし、学校などへの届け出は現地の携帯番号が必要なので、月30ドルのプリペイドタイプのガラケーを別に持っていた。これらの費用は値下がりするようなことがないので、現在はもっと高いかもしれない。

その他、車関係の保険費用、燃料費や点検費用で年間2100ドル、健康保険や医薬品類などで1200ドルと続く。

工夫して節約しよう

筆者の場合、節約するとすれば外食費と日本への帰国などの費用であるが、生活の潤いや、家族、親せきとの冠婚葬祭ごとの兼ね合いを考慮して決めざるを得ない。

夕食は外食が多かったが、地ビールとともにとる食事はピザ、サンドイッチ、メキシカン、中華などのファーストフードが中心で、決して贅沢をしている訳ではない。時々苦学生のK君などと食事をする時はこちら持ちになるが、平均的に1人15ドルもあれば十分である。

近くのビュッフェにも時々通った。曜日によっては夕食ビュッフェ10ドルなどという安い日があるので、通りの看板をよくチェックした。ビュッフェでは食べ物の持ち帰りは禁止なのだが、ステーキなどは少し持ち帰っていた。一度店員に注意されたことがあったが、無銭飲食で食べ物を持ち帰ったと思われたようだ。ビュッフェではそういう連中が横行していて、店側は頭を痛めているらしい。客の多少の持ち帰りなどは、たぶん見て見ぬふりをしているのだろう。

タクシーや配車アプリのウーバーなどは使わない。特にラスベガスなどの観光地ではよくタクシーに過剰料金を支払わされる。わざわざフリーウェイを通って大回りしたり、道を間違えたりする。いずれもたいした金額ではないが、後味は悪い。

空港から家までなどは、バスを使った。バスは学生割引があって、一か月30ドルで乗り放題であった。空港から家までタクシーを使うと最低30ドルはかかるのでその節約効果は大きい。

小旅行に出かけてもバスや地下鉄を利用した。2ドルを超えることはめったになく、場所によってはシニア割引などが使えた。地下鉄はATMで買うのに時間がかかって、電車をミスすることもあったが、利用回数が増えるにつれ、要領が良くなった。

飛行機の予約は細心の注意を払わなければならない。一か月くらい前に予約をすれば随分安く買える。しかし、変更がきかない。直前では、変更やキャンセルの可能性は低くなるが、その分高い。

筆者はマイレージポイントの関係で、ある航空会社グループを使っていた。しかし、アメリカは格安航空会社が多くあって、目的地によってはそれを利用することもあった。このような航空券は見かけ上安いのだが、荷物の数や大きさ、座席、保険や食べ物などの追加オプションによって値段が上がっていくものがあるので注意を要する。荷物などはある大きさまで無料となっているのだが、英語表現が複雑で、搭乗するまで不安な場合がある。あらかじめ過重を登録しておけばそれなりの料金なのだが、当日指摘を受けて支払う場合は割高の設定となっている。従ってこの手の格安航空会社を使う場合は、少し大きめのリュックサック1個に荷物を入れて利用していた。座席下に収納できるサイズであればまず料金を取られることはない。

1人でホテルを利用する時は一番料金の安いところを予約した。ホテルズドットコムやエクスペディアなどの大手サイトを利用して予約を取るのだが、とんでもなく治安が悪いとか、古いなどで不安かつ、不満な夜を過ごしたことはなかった。これらのサイトではとんでもない物件はフィルターがかけられているようだ。すぐ近くの四つ星、五つ星クラスのホテルは値段が倍くらいするが、ただ寝るだけにそれだけの金額を払う価値があるかは疑問である。

ホテルはだいたい朝食サービスが付いていた。筆者は、その朝食を少し持ち帰ることにしていた。昼に食べるためだ。夕食が外食で多少値が張る分、昼食はそれで十分だった。

筆者は三年半の留学であった。しかし、後半のビジネス専攻の一年は予定外の期間だった。最初に専攻したカジノ管理も、このビジネスもCSNでは一年コースの設定である。つまり、ネイティブであれば、通常一年で終了するのである。

事実一年でこれらのコースを終了した日本人留学生もいるので、全く不可能ではない。ただし、日本で語学学校に行く、あるいは現地の語学学校で少し勉強してから入学するなどの事前準備をしていたようだ。一年間の留学であれば、約3万1000ドルの費用で済む。決め手は英語力なので、TOEFLテスト対策や英検テスト対策などの留学前の準備はやはり必要である。筆者のようにこれらの準備を怠ると余分な出費の原因になりかねない。

雑支出は意外に多い

筆者は物乞いに頻繁に遭遇した。その要求は決まって、小銭を恵んで欲しいと言ってくるのだが、少ないと文句を言われる。2、3人で歩いていると声を掛けられることはないが、1人の場合はよく狙われる。そういう場合は何となく気配で分かる。筆者は物乞いにお金を渡さないようにしていたが、断ることができない場合があった。予期せぬまま不意をつかれて目の前に現れ、声を掛けられるような場合だ。こんな時はポケットの小銭を渡すのだが、小銭がない場合は紙幣を渡すことになる。

マクドナルドなどで並んでいるとホームレスが食事をおごってくれと言ってきたりする。見ているとこのような人に施しをする人がいるのである。筆者は断ることにしているが、ぶつぶつと文句を言われる場合がある。相手も施しをするのが義務という構えだ。

一、二度ガソリンスタンドで金がなくなってしまって帰れないので、ガソリン代を出してくれと言われたことがあった。丁寧にお断りするのだが、粘っていると誰か出してくれる人が現れるのか、手当たり次第に声を掛けていた。

クラスメートやルームメート、隣人など、親しくなると金を貸してくれと言われることがある。ちなみにアメリカで金を貸して、後日返ってきたことは稀であった。どうしても必要な場合は20ドルくらいの少額にしておいた方が良い。本人には返すつもりがあっても、その日暮らしの生活ではそれもできないのだ。

借金の理由は財布を無くして生活費がなくなってしまったとか、ギャンブルに負けたとか、共用ランドリーのプリペイドカードを買うためとか様々な理由を付けてくる。

返すつもりがあるのかは分からないが、何となく金を借りるということは、施しを受けるということに近いような気がしてならない。我々日本人の感覚とは少々違う宗教的義務のようなものがあるようなので注意を要する。特にホームレスや低所得者が住んでいる地区の場合、住民税のようなものと思った方がいいかもしれない。

学校などで寄付行為に参加させられることもある。クラスメートの病気治療費の寄付や、特定のボランティア活動への協賛などだ。特に周りの学生の多くが参加する寄付行為は断りづらい。筆者はどうしても必要な場合や、そのような状況に置かれた場合のみ寄付をさせてもらった。既に留学生として多額の授業料を払っているし、十分地域や学校に貢献しているという自負もあった。それで何かトラブルになったり不利益を被ったりしたことはなかった。しかし、これら時々の雑支出は累積すると意外に多いような気がする。

第七章

アメリカの学校の合理性

教官と生徒の相互評価

一部の例外を除き、アメリカの教官は一般的に学生に対して親切である。それには理由がある。教官が学生を評価し、成績を付ける代わりに、学生も教官を評価する。この相互評価がそのどちらかにも偏らず、絶妙なバランスをもたらしているのだ。

クラスが終了近くになると、学校側から教官の評価依頼が来る。そのクラスのホームページを開くたびにこの依頼が表示され、そのままにしておくと評価するまで続く。評価期間は2～3週間だが、教官が成績を付け、学生に公表される前には終了する。恐らく成績次第で評価が大きく異なるからだろう。その内容は次の通りである。

①クラスの説明は分かりやすいか
②クラスの成績評価の説明は分かりやすいか
③クラスの課題説明は分かりやすいか
④その説明の通りそれぞれ進められているか
⑤質問等に対し教官は親切に対応してくれるか
⑥そのクラスの勉強時間は週何時間くらいか

⑦課題の量は適正か
⑧成績はＡＢＣＤのどれを想定しているか
⑨このクラスの良い点（自由意見）
⑩このクラスの改良が求められる点（自由意見）

⑨、⑩を除きこれらの質問に4〜6択で回答し、送り返す。この先どう教官が評価されるか、改善していくのか分からないが、教官の学生に対する態度からして、相当なインパクトがあるものと想像される。

少なくともどんな質問に対しても、レスポンスは早く、丁寧である。しかし、直ちに改善が図られるわけでもない。現にマルタ先生のクラスは課題が多いとコメントしたが、2回目のクラスも相変わらず多かった。恐らく今も変わっていないのではないだろうか。

教官の評価はこれだけに留まらない。クラスを何人履修して、何人ドロップしたか。何人落第になったかが事細かく評価される。履修者数が少なければそもそも開講しないし、その場合は教官の生活にも影響を及ぼす。

また、各クラスには州の補助金が支払われるため、時々政府関係者の参観がある。こんな時には授業前に案内があって、直接は言わないが、暗に行儀よくして欲しいと依頼されるのである。これが無事終わった時は、そのような謝意が示される。

教官は前述の Rate My Professors などウェブ上の評価にも晒されるので気が抜けない。筆者に、手取り足取り指導を施してくれた親切な恩師であるデイビス先生は、この Rate My Professors の評価が低かった。授業中にこの理由を聞く機会があったのだが、中には変わった学生というか、半ばおかしい学生がいるらしく、ピント外れの質問に答えられないまま、ひどい評価を受けたようだ。本人はこれを気にしているようで、この裏話を披露してくれたようだ。

現在は日本でも学生が教官を評価する学校が多くなっているようだが、学生の立場から言えば、教官が身近な存在になる仕組みであり、前向きな学生の生きた声をよく聞く機会でもあるので、学習環境の向上に役立てばと思うのである。

成績評価が極めて分かりやすく、客観的

教官はそのクラスの目的、内容、スケジュール、各種注意事項をまとめたシラバスなる冊子を作成する。この説明は通常クラス初日にあり、この中には必ず成績評価の方法が含まれている。成績はＡＢＣＤＦで表示され、落第のＦを除き、＋（プラス）や－（マイナス）が付くこ

とがある。その他筆者が受けた評価にWとIがある。

Wは撤回 Withdraw の頭文字で、クラス開始から60%以内にクラス履修を取り消した場合に付けられる。これ以降の取り消しはできず、このような場合は通常Fをもらうことになる。クラスが始まって一定期間のドロップの場合これは付かない。ただ初めから履修しなかったという扱いだ。

Iは未達 Incomplete の頭文字で、クラスの課題は終了したものの、学外の認定試験などに合格しない場合に暫定的に与えられ、この試験に合格したら通常の成績が付けられる。

ビジネスのマルタ先生を例にとると、合計3530ポイントが次のように細かく評価される。

94%以上：A
90%以上：A－（マイナス）
87%以上：B＋（プラス）
84%以上：B
80%以上：B－（マイナス）
77%以上：C＋（プラス）
74%以上：C

70％以上：C－（マイナス）
67％以上：D＋（プラス）
64％以上：D
60％以上：D－（マイナス）
60％未満：F

同じくベーカー先生の場合は合計1000ポイントが次のようになる。

900ポイント以上：A
800ポイント以上：B
700ポイント以上：C
600ポイント以上：D
600ポイント未満：F

期中、期末に行われる試験はマークシート方式で、主観が入る余地はない。また、各課題は配点が示してあり、多くは満点かゼロとなる。エッセイなどは主観による評価になるが、決められたテーマを逸脱せず、決められた期限までに、決められたページ数か、文字数があればたいてい80％以上の評価をもらえる。

特に効果的なのは、そのクラスで現在のポイントが何％になっているかモニターできることだ。90％以上を保っていればAの可能性があり、やる気にもつながる。

自分で採点するクラスもあった。ビジネスのジョンソン先生のクラスでは課題は次の通りである。

①ゲストスピーカーアレンジ（自ら依頼して講演を行ってもらう）：1回400ポイント（何回でも可）
②ゲストスピーカーへのお礼状：1回200ポイント
③ゲストスピーカーへの質問：ポイントは質問前に教官が指定
④キーワードの暗記試験：ポイントは試験前に教官が指定
⑤テキストの各章の終了試験：10章×200ポイント＝2000ポイント
⑥履歴書作成：300ポイント
⑦キーワード帳作成：300ポイント
⑧クラスバインダー作成：200ポイント

⑨新たな課題、救済ポイント：随時

合計はゲストスピーカーの数や新たな課題によって変わってくるが、３０００ポイントを超えればＡとなる。これを自ら成績記録に記入して、最後のクラスに教官に認定してもらう。このクラスの筆者のポイントは合計７０５３ポイントになった。ある程度出席している学生は３０００ポイントを優に超えているので、ほぼ全員Ａを取ったと思われる。

問題点もあった。授業の予定がゲストスピーカーによって頻繁に変更になり、いつ試験が行われ、課題はいつ期限なのかなど、毎回出席していても分からないことだ。周りのネイティブの学生に聞いてもそれぞれ答えが違うので困ったことであった。

ご高齢で、常に何かを探している物忘れの激しい教官で、お世辞にも成績評価が分かりやすいとは言えないが、新たな課題が次から次へと出てくるので、それを自分で取捨選択して、自分でポイントを積み上げていくことができる点でユニークであった。

こんな救済ポイントもあった。我々の試験のマークシートが他のクラスのものと交ざり合い、収拾がつかなくなったことがあった。教官は点数が不足している学生を指名して、これを一枚ずつ整理させ、彼らは各２００ポイント与えられたのである。わざと他のクラスのものと交ぜているとも思えないが、これに類する救済ポイントは他にも多くあった。

成績は次のように点数化される。

A　4.0
A−　3.7
B+　3.3
B　3.0
B−　2.7
C+　2.3
C　2.0
C−　1.7
D+　1.3
D　1.0
D−　0.7
F　0.0

これらがクラスの単位数で加重平均され、成績評価値、GPA：Grade point average が算出される。クラスによっては1単位のものもあれば、フルの3単位もあるのでこれが加味される。このGPAが2を下回ると警告を受け、それでも改善しない場合は履修を停止される。卒業するためにもGPA2以上が必要になる。また、就職や他の学校への編入に際しては参考にされる。

CSNの場合は最優秀学生：High Honorsと優秀学生：Honorsの認定が行われる。最優秀学生はGPA3・6以上、優秀学生はGPA3・4以上となる。

その他優秀な成績を、定められた期間内に達成するとPhi Theta Kappaと呼ばれる公立の二年制大学の優秀学生サークルに入ることができる。このメンバーになると、就職や編入に有利になる恩恵と、奨学金や、メンバー専用のクレジットカードなどが与えられ、金銭的、物理的恩恵を受けることができる。

進んでいるIS(Information System：情報システム)教育、だが難しい

筆者は最終学期にISクラスを履修した。実際はその前の学期にウェブクラスを取ったの

だが、インターネット環境はやっとの思いで整えたものの、どうやって勉強し、どの試験を、どのように手配し、どう受験するか全く分からなかった。

前学期では課題の多いマルタ先生のクラスを履修しており、遂に手が回らなくなって途中でドロップしたのだ。いわゆる先送りをしたわけだ。

とにかく六十歳を過ぎてから情報システムなどという得体の知れないクラスを、ウェブで勉強しようなどという愚行の付けは大きく払わされることになるのだ。

とりあえず対面の八週間クラスを履修して、教官に教えてもらいながら進めることにした。しかし、ここでも通常十六週間かかるクラスを、半分の八週間で終わらせようなどと、このＩＳを侮ったのだ。

教官はスチュワート先生で、比較的若いエネルギッシュな先生であった。集まっている学生も若く、筆者ほどの年配の学生はいなかった。このクラスの課題は、次の通りであった。

①Simnet と呼ばれるウェブ上の練習課題：13章×10ポイント＝１３０ポイント
②ワークシート提出：13章×25ポイント＝３２５ポイント
③練習プロジェクト：12課題×40ポイント＝４８０ポイント

④学外の認定試験ＩＣ３の３科目合格
合計９３５ポイント

成績は、ＩＣ３の３科目合格でＣ、３科目合格と課題５００ポイント以上でＢ、３科目合格と課題６５０ポイント以上でＡが与えられた。

ＩＣ３は、コンピューターやインターネットに関する基礎知識とスキルを総合的に判断する国際資格である。その科目は、コンピューターの基礎（Computer Fundamentals）、ネットワーク環境（Living Online）および、キー操作（Key Application）である。この試験についてインターネットで調べてみると、難易度は易しいということだった。しかし、これが大きな落とし穴だった。易しいどころか、少なくとも筆者にとっては大変難しいのである。

２０１８年3月13日から始まったクラスは、初日からチンプンカンプンであった。モバイルオペレーティングシステム？ ｉＯＳ？ アンドロイド？ インスタントメッセージ？ ワッツアップ？ フェイスブック？ メッセンジャー？ クラウドコンピューティング？ クッキー？ ファイアウオール？ 勘弁してくれ！ 最後にこんな試練を与えられるとはと、愚痴りながら未知との遭遇にもだえ苦しんだ。

とはいってもこのクラスが通らなければ卒業できない。気を取り直してそれから猛勉強を始めた。クラスの全ての課題はＩＣ３の試験に合格するために作成されている。この試験は英語――当然だが――の40～45問を50分でこなさなければならない。合格ラインは１０００ポイント中７００以上。

コンピューターの基礎の第１回目の受験を４月３日に行った。結果は５７７ポイント。まだ１３０ポイント足りない。２回目は二日後の４月５日で、６５９ポイントだった。あと40ポイント足りない。２～３問だ。もうコンピューターの基礎の練習課題は終了しているので、とにかく試験に通らないと次に進めない。

３回目の試験は４月10日であった。この頃になるとだんだん試験の傾向が分かってくる。何となく手ごたえがあった試験直後の画面に、何と、Pass（合格）という文字が出た。この瞬間、ここ二十年くらい忘れていた歓喜の感情が爆発した。年甲斐もなく教官に報告に行ったのを記憶している。結果は７５７ポイントだった。

後で分かったのだが、この試験に合格していたのはクラス30人ほどのうちまだ数人しかおらず、クラスの多くの若いネイティブたちが苦戦していた。試験はある日数を置いて何回でも受験できるが、１回につき30ドルくらいの費用がかかる。このため準備不足では受験できない。中にはこのＩＳのクラスが取れなくて、２回以上履修しているという学生もいた。

多少の優越感に浸りながらも、まだ2科目も残っていると気を引き締めた。これを残り一か月で取らなければならない。

次のキー操作の第1回目の受験を4月24日に行った。結果は惨敗の363ポイントだった。合格ラインの半分の点数だ。二日後、果敢に2回目の挑戦を行った。しかし、419点だった。

この試験は、実際のワード、エクセル、パワーポイントなどオフィスのソフトの課題を1問1分以内で解いていかなければならない。例えば、次のようだ。エクセルで学生の成績を与えられた科目毎に計算し、それを合計して、成績の良い順番に上から並べなさい。それが終了したら、他者から変更されないようにプロテクトし、成績という名のファイルに保存しなさい。当然英語で出題される。しかし、日本語で出題されても合格するとは思えない。

困り果てて教官に相談に行くと、シニアの人——つまり筆者のことだ——はこの科目がなかなか合格できない。とにかく練習課題を何度も何度も行って、慣れなさい、と言うのだ。確かに、時間がないので課題を半分くらいこなしたところで試験に挑戦したのだが、果たして課題を何度も何度も行ってPassの画面を拝むことができるのだろうか。

よく周りの若者を見てみた。まず、視線の左右上下の動きが速い。キーボード上の指先の動きは、人間業とは思えない。画面上のアイコンを次から次へとクリックして問題を解いていく。

幾つかの可能性を確かめて、諦める時も判断が速い。そう、明らかに筆者と若者との間にスキルの差があるのだ。知識では互角に渡り合えても、目と指の動きではかなわない。

この試験で何人かの若者のバンザイを目の当たりにした。コンピューターの基礎の試験に合格した優越感に浸っている間に追い越されてしまったのだ。もう残りは二週間少々だ。

結局キー操作の試験は諦めて、ネットワーク環境にトライすることにした。一週間必死に準備して5月3日に最初の挑戦を行った。617ポイントだった。悪くはない。果敢に翌日また挑戦した。

努力すれば報われるではないが、奇跡的に試験勉強した問題が多く出題され、またPassの文字を拝むことができたのだ。得点は716ポイント。1問間違っていたら不合格だった。残りは一週間。キー操作の1科目だ。

この頃夜、コンピューターのキーを打ち付ける夢をよく見た。プレッシャーは最高潮に達し、「お前は何故こんなバカなことをやっているんだ」と自問自答が始まった。プレッシャーの性質は異なるが、仕事中によく味わった、しばし忘れていた弱い人間的反応だ。

この結末は第八章にゆずることにするが、アメリカの学校の合理性の観点から是非述べておきたいことがある。コミュニティカレッジは、公立の二年制大学である。一般市民の幅広い層から学生を集め、基礎的な教育を施す。この中で、コンピューター関係は言うに及ばず、会計やビジネスなどの学部でこのＩＳが必修科目となっている。

筆者の三年半の勉強の中で一番役立ったのはこの科目である。今や、モデムとルーターの違い、ＩＰアドレス、ブラウザー、ＵＲＬ、ドメイン名、などなどの専門用語は頭に焼き付いてそう簡単に剥がれないように思われる。何よりも、オフィスのソフトや、Ｇメール、グーグルカレンダーなど今まで知らなかった機能を使うことができるようになったのは大きい。とにかくＩＴアレルギーはもはや過去のものとなったのだ。

世界のＩＴ競争力、国別比較・ランキングで常にアメリカは、日本を大きくリードしている。この違いは学校でのこうした草の根的教育にあるような気がする。小中高、大学を問わず苦労をさせて、否、楽しませて、次代のＩＴ人材づくりをして欲しいものだ。

便利なウェブクラス

通常のクラスは、ブラックジャックの実践クラスなどを除いて、対面クラスとウェブクラスの両方があった。しかし、筆者が専攻したカジノ管理の必須科目は9科目のうち7科目がウェブクラスのみであった。筆者のような留学生は、ウェブクラスは一学期1クラスのみだが、一般の学生はウェブクラスのみでも卒業できる。特にカジノ管理などは、社会人が勉強するケースが多く、ウェブクラスが中心であった。

ウェブクラスの良いところは学校に行かなくてもいいことだ。地ビールを中心に居を構えている関係で、筆者の家から学校までは30分以上かかった。往復で一時間のロスを防げるのは有難い。とりわけ良かったのは、夏期に日本に帰って、日本でウェブクラスを履修できたことだ。何か月も留守にした結果起こる冠婚葬祭事や各種書類手続き、親せき、友人付き合いなどをこなしながら履修できる。

ウェブクラスの勉強方法は次の通りだ。まず教科書を読む。運が良ければ薄い本だが、悪ければ分厚いものとなる。更に運が悪ければ、分厚い本で、かつ難解なものとなる。このような場合は、好成績は諦めて、とにかく、分かるも分からないも関係なく一読してみる。

ある時、難解と思われる本を知り合いのアメリカ人に見てもらう機会があった。彼は、元ゴルフキャディーで、当時は学生向けの下宿経営などをしていた。当然、カジノなどには縁のない人だった。彼曰く、「全く難しくない。普通の本だ。」とにかく、ネイティブとは読解力に歴然たる差があるのだ。

一章か二章を読み終えたら、試験がある。この試験には2種類あって、1回で終了する試験と、高得点になるまで複数回受けることができるものがある。1回で終了する試験は、事前に本をどのくらい読み込んだかが試される。複数回受けることができるものは、どちらかといえば試験を行いながら学んでいくことになる。

手強いのは前者の方だ。勉強に時間がかかる上に、もう一つのハードルがあった。それは、試験への集中力が長く続かないことだ。通常試験には制限時間がない。しかし、難解な問題も多く、試験に二時間以上かかることが多くある。こんな時は集中力が途中で切れてしまうのだ。休憩しながら続けるのだが、最後には疲れた頭脳が、指先に指令してキーをクリックさせてしまう。このような場合に限って正解の確率は低い。

ウェブクラスと対面クラスを併せ持ったハイブリットクラスもある。特にウェブクラスだけでは勉強の方法が分からない時は、このハイブリットクラスが威力を発揮する。いずれにしても、一日は通学の必要がないという利点はある。

社会人に広く門戸を開くことができ、昨今の伝染病などが蔓延している時には無くてはならないクラスだが、決して手を抜くことはできない。ウェブクラスの中には対面クラス以上に大変だったものが幾つかあった。

カジノ管理の中にカジノ監視（Casino Surveillance）というクラスがあった。客やディーラーの不正防止や、トラブル解決のためカジノには監視カメラが備え付けられており、監視専門スタッフが常駐している。この監視システムや、スタッフは法律で定められる条件があり、これらについて勉強するのがこのクラスだ。このクラスは教科書に代わってCDを購入して、それを勉強して試験を受ける。

ところが、このCDの量が半端ではないのだ。八章あるCDの一章あたりのページ数が平均68ページ。A4サイズ、46行にほぼビッシリと文字が並ぶ。これを十日に一章くらいのペースで読まなければならない。結局、分かる分からないも関係なく一読するのだが、それでも時間がかかる。試験では、CDの内容から出題されるので、一読しておかないと、どこから出題されたか追跡できない。当然試験中は、改めて教科書やCDの内容を確認しながら解いていくので、少なくとも2回は同じ内容に触れることになる。

今となっては細かいところまでは記憶していないが、どのような事項がポイントとなり、どのような機器を使って、どのように監視するのか、大枠は今でも記憶している。苦労した分の知識は、歳を重ねても残るようだ。

蛇足ながらこのCD、当初我がパソコンでは途中で止まってしまって役に立たなかった。学校のブックストア——CDを買った店だが——へ持って行って、当然交換してもらえると思ったら、ただ気の毒そうな顔をするだけであった。アメリカではCD関係のこの種のトラブルが多いので店側の免責になっている、ということを付け加えておく。結局筆者はこのCDに二倍の金を払って買うことになったのだ。

また、このクラスは試験範囲が複数章に渡ったり、章の一部だったり変則的であった。試験範囲を間違え、予習せずに試験を行ったため成績を一ランク落とすというおまけまで付いた。それもわずか一問か二問のことであった。

有難い9月始まり

アメリカの学校は9月に新学期が始まる。正確には8月末からオリエンテーションなどが行われ、本格的には9月最初から授業が開始される。その前には長い夏期休暇が入る。学校によって異なるとは思うが、通常春クラスは5月中旬には終わるので、三か月半ほどの休みになる。

学生の立場からするとこの長い休みは非常に助かるのだ。筆者の場合は、この休みに1科目だけ履修することにしていた。夏期のクラスは最長でも八週間で終わり、夏休みはそれでもまだ残るのだ。一か月あまりのこの間に、帰省したり、友人や家族に来てもらったりできる。

また、新学期のクラスの申し込みも終わり、教官の名前や教科書の情報も公開されてくる。そこで手強そうなクラスの絞り込みを行い、予習を開始することもできる。とにかくネイティブとは読解力に歴然たる差があることから、授業開始前に半分でも教科書を読んでおくとおかないとでは全く授業開始後の負担が違ってくる。

ただし、注意事項がある。たまに、直前で教官が代わったり、教科書が代わったりする。こうなると、また新しい教科書を初めから読まなくてはならなくなる。従って次のようなルールを作っていた。教科書は買わない。教科書は全部を読まない。半分までにする。

教科書は学校のブックストアでのレンタルという仕組みがあり、半額近くになる。また、学校の近くには古書店があり、ここで中古の教科書をレンタルできたら、更に安くなる。一番安上がりはクラスメートから借りることだが、これは残念ながら実現を見なかった。細かい文字の教科書が多く、拡大コピーして読んでいたことを思うと、所有する必要はないのである。

9月始まりのもう一つの利点は、長い休みがあるため、全てがリセットされ新たな気持ちで新学期、新学年を迎えられることだ。日本にも春休みがあるが、短すぎて気持ちの切り替えもできぬまま新学期、新学年となる。

お金の余裕があれば、長期旅行に出ることができる。北半球は夏なので、どこも観光シーズンで、リフレッシュには持ってこいだ。

また、新規入学者や、転入者などはこの長い期間を使って、願書の準備、下見、住居手配など生活インフラの整備ができる。冬ではないので雪の心配はない。日本の4月新学期は南半球なら多少の合理性があるが、国際的にみても少数派ではないだろうか。

とにかく実務的

2017年1月から始まった旅行学のクラスはスコット先生が教官だった。カジノ管理の必修科目ではなかったが、留学生の単位要件を満たすため取ったクラスであった。教官評価(Rate My Professors)でも「驚くべき教官だ」との評価が多かったため期待はしていた。授業内容は旅行代理店の実務だ。クルーズ船による船旅、国内、海外旅行の実態、ホテル、レストラン業界の現状などパワーポイントが打ち出す画面は、大手代理店のマネジャーによる新人教育の様相だ。

このクラスには、フィールドトリップという授業があり、スコット先生の教え子で、大手リゾートホテルに勤める人が案内してくれる。2017年4月12日に訪れたコスモポリタンホテルは2010年に開業した高級ホテルだ。値段が高いという理由から、筆者は見向きもしなかったが、というよりは手が出なかったというのが実際で、一度だけショーを見た記憶があるだけである。この高級ホテルを、バックヤードから入って行くのだから興味深い。

いろいろ勉強することができたが、一番の収穫は、当時ホテル業界も人手不足が深刻で、従業員確保のバトルに負けまいと必死なことだった。何よりの証しは、我ら学生の訪問に対し、カルロ取締役を筆頭に多くのスタッフが出迎えてくれたことだ。カルロ氏はＶＩＰ客の獲得や接待を統括する取締役で、我らを一泊２０００～４０００ドル――季節により変動――のペントハウスに入れて講義してくれた。

経営の柱の一つは、顧客と従業員へのおもてなし（Welcome Customer and Welcome Employee）だ。リーマンショックを乗り越え、客足は上々であり、筆者を除く我ら学生をいかに陣営に迎えるか、その必死さがうかがい知れる。

続く4月26日に訪れたＭＧＭグランドホテルでは、ハッカサンというクラブのゼネラルマネジャー、つまり総支配人の案内を受けた。

歳の頃が二十代後半の美人である。本人の実力と努力もあるだろうが、ともかく日本ではこの若さで大手ホテルの看板施設の総支配人になるなど想像もつかない。この人も我らの先輩にあたる人で、スコット先生のクラスで教鞭を執ったようだ。

クラブというのはラスベガスでは数多くあるが、今まで一度も入ったことがなかった。詳しくは割愛するが、一見して、DJ、音楽、ダンス、照明、ドリンク、フードを介して非現実的な世界が演出されるところだと分かる。ちなみに10人程度のテーブルチャージが、1500〜2000ドルくらいするそうだ。特別の場合か、金持ち以外には縁がなさそうな気がした。

ホテルの豪華スイートルーム、一泊800〜1500ドル、にも案内してもらったが5部屋もあり、窓からのスカイラインも合わせ、別世界であった。この巨大ホテルは従業員が約7000人おり、やはり旅行学などを学ぶ学生は喉から手が出るほど欲しいようだ。

実務的だったこのクラスで、最後に感心したのは、最終課題であった。今だから感心で済んでいるが、それに取り組んでいた時は必死だった。

課題は次の通りだ。旅行関連の事業の経営者にインタビューして、人となり、その事業開始の背景、事業内容、成功の秘訣、そしてそれを通して何を学んだか3〜5ページのエッセイにして提出する。そして、クラスメートの前でその内容を発表するというものだ。

当然そんなホテル、レストラン、旅行会社などの経営者に知り合いがいるはずもなく、途方に暮れてスコット先生に相談してみた。当時スロットマシン15台以下の制限カジノライセンスを取って、小規模カジノの開業準備をしている日系人の知り合いがいた。スコット先生は、その経営者でも良いと許可してくれたので助かった。

この取材を通じて勉強したカジノ業界の裏、表は興味深いがとても本書だけではカバーしきれないので続編に回すことにするが——予定はしているが実現するかは不明であるが——、なかなか一筋縄ではいかないようだ。感染症の影響もあるとは思うが、今もって開業したという知らせはない。

ちなみにこの事業には大株主がいて、ラスベガスで二軒の居酒屋を営んでいた。そのオーナー曰く、何よりも重要なのは立地だそうで、この話もレポートの中に入れておいた。質の高い従業員とか、味の良さとか、ソフト面が重要かと思っていたが、広いアメリカらしい経営哲学だと思った。両居酒屋ともに高級住宅街のモールにあり、当時の日本食ブームに乗って繁盛していた。

同じく実務的なクラスに、エアライン予約があった。まさしく旅行代理店で顧客のためにエアチケットを手配する授業である。このクラスのケリー先生は、実際の旅行会社に勤める旅行代理人であった。

複数地経由やその最短時間のフライト、最安フライトなどを、実際使用されている航空業界の予約システムで検索しながら発券するものだ。航空会社や、空港、座席クラスなどは省略文字があるためこれを覚える必要があった。例えば、ＱＦはカンタス航空、ＮＲＴは成田空港などだ。やはり若者に比べ操作時間はかかったが、ついていけないことはなかった。
教官は各学生の端末を一人一人モニターできるのだが、課題を出してチェックする順番はいつも決まって筆者が最後であった。つまり、一番遅いからだ。しかし、遅いだけで間違ってはいないなどと慰めてくれるので助かった。実際客の前でこんなに遅くては料金はいただけない、ということは想像できた。

2018年の春クラスにグリーン先生のビジネス法規を取った。このクラスは厳しいことで評判が悪く、なかなか好成績が取れないことでも悪名が高かった。しかし、ビジネス法規は必須科目であり、しかもグリーン先生の専任クラスであった。つまり、他に選択肢

エアライン予約　クラスメート
右端がケリー先生、その左下が筆者。皆若い

がないのである。案の定、教科書は厚いし、難解だし、課題は多いし、ＩＳと合わせて最後の試練に、ねじり鉢巻き状態だった。

こんなグリーン先生の課題の一つに、裁判所傍聴があった。ラスベガスにある連邦裁判所か、州裁判所、または地方裁判所に出向き、裁判を傍聴し、その裁判の内容、争点、判決内容、それに同意するか反対するかを3ページ程度にまとめて提出するものだ。

何度か裁判所に下見に出かけ、思い切って入ったのが、ラスベガス地方裁判所の一室であった。ここではラスベガスで開業するコディ医師が、医療費未払いの2人の被告を訴えたケースを扱っていた。裁判所は原則傍聴自由と聞いていたので、恐る恐る入ったところ書記官に呼び止められた。身分証の提示を求められたり、意味不明な質問を受けたりして随分驚かされた。自分は学生で、裁判所傍聴の課題を課せられたためここに来た、と説明したがなかなか信じてもらえなかった。実はこの訴訟、被告が2人とも出廷せず、筆者が被告の1人である中国系の人物に間違われたのだ。結局女性裁判官による判決は、欠席裁判（Default Judgment）つまりは被告の無条件敗訴となった。

たまたま次の訴訟も傍聴したが、これも被告が出廷せず、二か月の延期になった。アメリカでは裁判が多いが、多くの人々が安易に裁判を起こし、また訴えられてもこれを軽視する国民性なのだろう。コディ医師の医療費もさぞ高額なのだろうと思ったが、両者とも500ドル前後の少額だったのには重ねて驚いた。正に百聞は一見に如かず、の経験だった。

実務的といえば前述のベーカー先生を忘れてはならない。ベーカー先生はクレアモント経営大学院・ドラッカースクールでピーター・ドラッカーの教えを受けた弟子であった。ドラッカーは1909年にオーストリアで生まれた経営学者で、初めてマネジメントという分野を体系化した人物である。それゆえに「マネジメントの発明者」とか「マネジメントの父」とかと呼ばれている。

まさかドラッカーの弟子にアメリカでビジネスを教えてもらうとは考えていなかったので、これは思わぬ収穫だった。しかしベーカー先生曰く、生前ドラッカーの誕生日には何百人もの教え子がクレアモントに集まったそうで、その多くが教鞭を執っていることから、アメリカでドラッカーの弟子にマネジメントを教わるなどは珍しくないとのこと。

話がそれてしまったが、ベーカー先生のクラスはどうしたらビジネスで成功するかが目的である。その副読本も『知らず知らずに億万長者になる（Automatic Millionaire）[12]』であった。この本は、一言で言えば、毎日節約しようというものだ。そして、そのお金を、退職資金積み立てのような優遇税制をフルに使って数十年運用しよう。そうすれば退職時には億万長者になれる、といった内容だ。中身は具体的で、なるほど、この通りに実行すれば実現するかも、と思

12　David Bach 著

わせる内容だった。

悪乗りをしたわけではないが、もう1冊、『金持ち父さん、貧乏父さん（Rich Dad, Poor Dad）』[13]の読書感想文を書いて追加ポイントを得た。こちらの本も興味深かったが、凡人にはなかなか真似できそうもない部分もあった。

このクラスの最終課題は将来の夢へのロードマップ（英語名：Treasure Map）作成であった。内容は、何になりたいか、幾ら稼ぎたいか、どんな家や車が欲しいか、人とは何が違うか、強みは何か、支援者は誰か、などイメージ写真入りで将来図を作ることだ。そんなに時間がかかる課題ではなかったし、何より夢があって楽しかった。

ちなみに筆者は、コンサルタントとして2025年までに年収2000万円を稼ぎ、海の見える邸宅兼事務所を5000万円で構える、とした。まだロードマップ作成後三年しか経っていないが、今のところその軌道上にないことは、残念なことだ。

ゲストスピーカーは生きた授業

ビジネスのクラスにゲストスピーカーは多く、筆者が在学中の登壇者数は22名に上った。そ

13　Robert T. Kiyosaki 著

の多くがその教官の教え子だったり、その関係者だったりしたが、それ以外も含めて、教官とビジネス界のつながりは深いように思える。特にまだ産声を上げたばかりの若い起業家も多かったことから、草の根レベルの産学連携が広がっていることがうかがえる。いずれにしても、もともとプレゼンテーション力が重視されるお国柄である上に、自らの成功体験を語るので、印象に残る内容が多かった。

ピーターソン先生は労務管理のクラスの教官だった。産業界に広く人脈があるのか、このクラスに召喚された2人のスピーカーは社会的立場こそ全く違っていたが、2人とも大物だった。そのうちの1人がミケルソン氏で、フォーシーズンホテルなどに出店する高級レストランチェーンの上級副社長兼財務責任者であった。

開口一番に聞いたその日のスケジュールにまず驚かされた。

朝7時から昨日の業績レポートに目を通し、200通近いメールを確認する。
9時、ポートランドの投資家との打ち合わせ。
10時、CSNでのゲストスピーチ。
12時、財務関係者との打ち合わせ兼ランチ。
13時、投資コンサルタントとの打ち合わせ。

14時、社長報告。
15時、法務関係者との打ち合わせ。
16時、本部との打ち合わせ。
17時30分、子供と遊ぶ

早朝から予定がビッシリで、ほぼ毎日こんな状態だそうだ。今回のゲストスピーチの最中にも、電話数本と、メールが20通近く入ったそうだ。

座右の銘は、高い目標を持つ、ということでその実現のために重要な事項は、人を大切にする、ソーシャルメディアなどの技術革新に遅れないこと、人を動かすマネジメント力などを上げていた。子供と遊んで気分転換かつ、家族サービスを怠らないのはアメリカのビジネスマンらしいと感心した。しかし、ヘビースモーカーのようで、健康管理にはどのように留意しているのか質問しようと思ったが、時間切れとなった。

今一人が、ポレント氏であった。彼は、Culinary Workers Unionというラスベガス地区の地方労働組合の代表者であった。この労働組合は１９３５年の設立で、当時は1万８０００人だった組合員が、現在は6万人になっている。三十五年のキャリアのうち、最初の十年がホテル勤務だった以外は、この労働組合で過ごしたという。組合は会社、いわゆるカジノホテルとの闘いの歴史で、移民を組合員に多く抱え、劣悪な労働条件を改善すべく、ストライキを数多く打ったようだ。彼自身は組合生活のかなりの期間を刑務所で過ごしたようで、どことなくマフィアのボス風の雰囲気さえあった。

現在は人手不足もあり、カジノホテル側の従業員に対する待遇も良くなっているため、組合への加入は約十分の一だという。かつては三分の一が組合員だった時代があったようで、この加入率向上が喫緊の課題のようだ。

ベーカー先生のクラスでも印象に残るゲストスピーカーがいた。このクラスでは実際にゲストスピーカーを召喚することもあったし、ビデオでのスピーチを聞く機会も多くあった。スピーカーの名前は記録がないが、題名が「億万長者とは」、というビデオスピーチがあった。

億万長者にはだいたい共通する生活信条があるという。まず、ほとんどの人が働くことが生きがいであり、趣味であるという。お金は自由に使えるが、日々の楽しみに大金を費やすようなことは決してしない。例えば、高額な旅行をしたり、高級車を乗り回したりすることだ。彼ら、彼女らが着るスーツは、300ドル以上しないし、車は中古車を買う。また、日々の買い物はウォルマート[14]だ。

14　アメリカ、アーカンソー州に本部を置く世界最大のスーパーマーケットチェーン多くは才能があり、情熱を持った起業家である。このため利益も伴うが、そのほとんどは事業に再投資する。必ずしも全てがこの通りではないが、ハリウッド映画に出てくるような優雅な億万長者は、いずれ財産を無くしてしまうそうだ。

筆者もこの教訓を生かして、浪費を慎むようにしているが、子供などからはケチと言われるので、億万長者になるのは楽ではない。

もう一つ印象に残ったビデオスピーチは、ハーバードビジネススクールについての話だった。毎年1000人弱ほどの希望に満ち溢れた新入生がボストン市の大学のキャンパスに集まる。このビジネススクールの特徴は二つある。

一つはケーススタディである。学生たちは実際の企業を題材に、様々な実際の資料を使って現状分析を行い、解決策を見出していく。そしてその結果は企業に報告され、企業側の経営に生かされる。

今一つはチームワークだ。入学と同時に6人で構成されるグループに分けられ、企業分析を始めとする全ての課題をチームとして取り組む。

この中で紹介されたキャッシー・ジューシー女史は、重い血液の癌に侵されながらも、自ら基金を立ち上げ、この難病に効く薬の開発に数十年の歳月をかけて取り組んだ。この時彼女の基金に献身的に貢献したのがかつてのグループメンバーであった。彼らの固い絆は、時を超えて永遠に続く、貴重な財産となるようだ。

授業中にお菓子、ドーナッツ、ピザ……

アメリカのクラスで驚くのは、授業中にお菓子、ドーナッツ、ピザなどの食べ物が多く出てくることだ。多くは学生が持ってくる。聞けば、わざわざ買ってきてクラスメートや教官に振る舞うのである。あるいはアルバイト先の商品の宣伝のために持ってくる場合もある。そしてなんと、授業中におやつ、場合によっては食事を取ることが許されているのだ。一説によれば、食事の時間も惜しんでクラスに来たのだから、健康上食事くらいクラスでゆっくり取ればいい、ということのようだ。考えられないが、事実がそれを証明している。

筆者は朝早く起きて、一応朝食は十分取ってくるが、朝の遅い学生にとってはこのドーナッツは有難いことだろう。結局筆者も勧められるまま幾つかもらって持ち帰り、昼食とか朝食の副食にしていた。

教官から差し入れが入ることも多い。その多くはバケーションシーズンの合間の授業だったり、テスト後だったり、特に学生の出席率が低い時に多い。教官も、誰が顧客であるかよく考えている証だろう。

マルタ先生はイタリア系ということもあり、ピザの差し入れであった。ある時などは、学生数が少なかったこともあり、持ち帰って、夕飯二食分、プラスルームメートの一食分になった。

ベーカー先生は、教え子にお菓子関係に縁のある人がいるのか、決まってビスケットだった。先生も頂き物だが、とコメント付きで配っていた。

ESLのアメリア先生は、また一味違っていた。クラス最終日に皆で食べ物を持ち寄って、野外にランチに行くのをカリキュラムの一つにしていた。学生たちももちろん勉強より、野外ランチの方がいいので、それぞれお国自慢の料理を競うように作って持ってくる。筆者は学校の売店でカリフォルニアロール——いわゆる寿司だが——を買って持っていった。アメリア先生はその様子を写真に撮り、思い出アルバムとして編集して、学生に送ってくれる。なかなか粋な計らいで、課題は多い教官だが人気は高かった。

教官によって状況は大きく違っていたが、ジョンソン先生のクラスが一番食べ物が多かった。先生も奨励——と言うより半ば強制の場合もあったが——するので食べ物には事欠かなかった。最終パーティーは残念ながら授業の遅れで実現しなかったが、実現すればさぞ盛大なフードパーティーだったことだろう。

言うまでもないが、学校の周りはドーナッツ、ピザ、ビスケットなどのチェーン店が軒を連ねており、学校が一大消費地になっていることは実に実務的である。

第八章

しかしなかなか楽ではない

銃社会の怖さ

２０１７年10月1日にラスベガスで銃乱射事件が発生し、カントリー・ミュージックフェスティバル会場にいた58人が死亡、５４６人が負傷するという大惨事が起こった。これは単独犯による銃乱射事件としては、前年のフロリダ銃乱射事件の死傷者数を超え、史上最悪の被害となった。

筆者はこの前日に事件現場のマンダレイベイ・リゾートホテルの1・2㎞北のＭＧＭホテルまで来ていた。事件当日は、幸い自宅にいて事なきを得た。しかし、このマンダレイベイ・リゾートホテルには散歩がてら月に一、二度は訪問していたので事件の報には衝撃を受けた。

翌10月2日に前述のベーカー先生のビジネスのクラスがあったが、急遽この事件の総括の授業となった。たまたまクラスに、前日のカントリー・ミュージックフェスティバル会場にいた学生がいて、その生々しい話を聞くことになった。

幾多の銃弾はその学生のすぐ近くをヒューという音とともに通過し、彼の周りには死傷者がごろごろしていたらしい。一発の銃弾は凄まじい威力で、3人くらいが倒れたという。本人は、一日たっても恐怖が冷めやらない様子で、言葉もたどたどしかった。

また、マンダレイベイ・リゾートホテルで当日クラップスのディーラーをしていた女性もいて、従業員は詳しいことは全く知らされず、ずっとホテルに留め置かれたようだった。ホテル内に共犯者がいるかもしれないとのことで、夜半まで閉じ込められたようだ。

この日の授業は、こうした目撃者の話と、危機管理の在り方について確認して、いつもの半分の時間で終了した。ベーカー先生が、まだ恐怖冷めやらない学生たちに配慮したものだ。

ラスベガスは、観光都市でもあり、観光客を狙ったスリや置き引きは多いが、全米でとりわけ治安が悪い都市でもないようだ。実際、筆者は物乞いには頻繁に遭遇したが、危ない目にあったことはない。その理由が、ポリスの多さではないだろうか。とにかくパトカーやポリスバイクが街を常に走り回っており、けたたましいサイレンの音は途切れたことがない。交差点では、信号無視や歩行者優先無視の車が止められ、頻繁に切符を切られている。道路わきでパトカーに両手をついて取り調べを受ける人もよく見かける。その多くは黒人である。

学校にもポリスの詰め所があって、常にパトカーが1～2台駐車していた。学校での銃乱射事件が多いための処置と思われるが、一説には学校は広く、現場に駆け付けるのに2～3分かかるのでどのくらい機能するか分からないという。

アメリカは銃の国である。大型のスーパーマーケットや雑貨店ではおもちゃを売るように銃が並んでいる。また、街中には観光客に拳銃や、自動小銃を撃たせる商売があり、筆者も友人と行ったことがある。100ドル以下の手ごろな値段でプロのガイド付きで試射することができる。こういった施設は街の内外で十か所以上は開業しており、手軽なアトラクションとして人気を集めている。

筆者は夜の1人歩きを時々するのだが、暗いところや見知らぬ通りは絶対に立ち寄らなかった。また、服装は観光客に見られないよう、古い、カジュアル系のものを着ていた。とにかく金はあまり持ってなさそうにするのだ。

運悪く乱射事件に巻き込まれた場合は、とにかく逃げるしか手はないが、銃やナイフに対しては常に緊張感を忘れてはならない。そして絶対に抵抗してはならない。

マリファナとは隣り合わせ

2017年、ネバダ州では嗜好用のマリファナ使用が解禁された。隣のカリフォルニア州でも2018年に解禁されている。それまで医療用のマリファナは既に解禁されていたが、嗜好用としては解禁されていなかった。日本では重罪であるのに、アメリカでは何故、と思うがその背景を聞けば止むを得ない部分もある。禁止であるがゆえに闇市場では高額となり、長年闇世界の資金源となっていた。

筆者がアメリカ駐在に出た1980年代後半は、それまでの高インフレと高失業がようやく収まったとはいえ、まだ退廃的な雰囲気が残っていた時代だった。治安の悪い通りでは麻薬中毒と思しき者が、訳の分からないことを叫びながら歩く姿をよく見かけた。また、我々が事務所を構えた、比較的高級といわれたロサンゼルス南部でも、高校生のマリファナによる事件などが散発した。

三十年が経過して筆者が初めてラスベガスに住みだした2015年にもマリファナは街々に氾濫していた。このマリファナは独特の香りがするのですぐ分かるのだが、前述したルームメートもヘビーではなかったが愛用者であり、極めて身近なところに存在する。

身近だけに留学生には怖い存在である。筆者は使用したことは決してないが、勧められたことは何度かあった。愛用者に聞くと、疲れた時はリラックスでき、ハイな気分にもなり、依存性はあるが、副作用はほとんどないとのことだ。しかし、解禁後は純度が増して――いわゆる良いものが出回るようになって――何らかの副作用が出るようになった、とその愛用者はコメントしていた。

たまたまその愛用者と週末の夜、高級住宅街のマリファナショップに行く機会があった。普通の人たちが週末のパーティーなどで楽しむようで、ひっきりなしに人が出入りしていた。社会への浸透度がうかがえる出来事だった。ちなみに筆者は帰国が間近でもあったし、匂いがついたりしても困るので、中には入らなかったことを申し添えておく。

解禁されたとはいえ、自宅の周りに限定され、運転時も禁止など制限も多く、また仕事の種類によっては禁止している会社もあり、決してお勧めできない。また値段も高いため、地ビールなどの酒類で十分ではないかと思うのである。

ルームメートは個性派ぞろい

ルームメートは同じ屋根の下で、ともに過ごす相手であるので、その良し悪しは大きい。筆者の初めての住まいには、企業研修を行う三十歳前後の女性ドーンと、インターネットでスポーツ配信する会社に勤める若者サニーが住んでいた。当時サニーが一階に住んでいて、ドーンと筆者は二階であったが、アメリカサイズの家であり、3人の距離は離れていた。また、活動時間もちょうどよくずれていて、気になるようなことはなかった。

管理人が別のところに住んでいるのをいいことに、時々ドーンがボーイフレンドを連れてきて、ホテル代わりにしていたのは、違った意味で気にはなったが実害はなかった。

この家に来て一年近く経つ頃、サニーと管理人が争うようになった。確かに彼の一階の部屋はいつもごみ箱状態であった。それが彼の隣にあったバスルームにも及ぶにつけ、管理人の目に余ったのだろう。

その後このサニーとは一年半、アパートのルームメートになるのだが、一旦外へ出ると普通の真面目な青年で、問題があるようには思えない。実際、変わっているとは思ったが、無類の犬好きという点を除いて実害はそれほどなかった。しかし、幸か不幸かそれはどうも筆者の感度が鈍いというか、他人をあまりにも気にしないという性格にも問題があったようだ。

サニーとのアパート生活も終盤になった頃、我が細君と、その妹がこのアパートに長期滞在することになった。そして2人してサニーはおかしいと言い出すのだ。

まず「真夜中に、テレビドラマを見ながら大声で笑っている」、そして「何か水パイプのようなものを吸っているのを目撃した」と言うのだ。確かに時々筆者が寝ている夜中に、サニーの楽しそうな笑い声を何度か聞いたことがあった。そして、後で考えればマリファナの香りがしたし、当時何か分からなかったガラス容器がごみ箱のようなサニーの部屋にあったのだ。

次に「かたづけると言ってくれるのだが、なかなか実行してくれない」。実は彼女らが寝ていたのはアパートのリビングで、そこもサニーの荷物が所狭しと置いてあった、否、無造作にばらまかれていたのだ。多少はかたづけた跡は見られるが、新たにばらまかれる物もあって、結局かたづかないのだ。

挙句の果てには「あの歳でガールフレンドの1人もいないのは何かおかしい」となった。英語がたどたどしいのに、本人にインタビューしたのだ。このあたりのおばさんパワーはたいしたものだ。確かに歳は二十五〜二十六歳であったが、前の住まいから思い出しても、女っ気は一切なかった。女性が訪ねて来たこともないし、電話しているのも聞いたことがなかった。

この分野に詳しい義理の妹の診断では、発達障害らしいことが判明した。結論は「お義兄さん、早くサニーと別れて帰国しなさい」であった。

サニーの犬好きは大変だった。いっしょにアパートに住みだしてすぐに、犬アレルギーはないかと聞いてきた。話を聞くと、ロサンゼルスにいる母親が2匹の犬を飼っており、大変だから1匹引き取って欲しいと言ってきたようだ。

筆者は、この後大変なことになることも知らず、犬アレルギーはないし、問題ない、と答えた。その後やってきたのは、シュナウザーの子犬、ソフィであった。ソフィは我がアパートにやってきた時から胃腸の調子が悪いらしく、サニーは病院に連れて行ったり、薬をのませたり、甲斐甲斐しく世話をしていた。

しかし、回復が思わしくないのか、すぐにロサンゼルスに里帰りしてしまった。これで犬は終わりと思いきや、サニーがブルテリアのマーフィーを連れてきた。このマーフィーが曲者だった。

初めは、サニーが世話するのを横目で見ていただけで、時々ドッグフードを食べない、などというサニーのボヤキを聞いていた。サニー曰く、飼い主を試しているのだそうだ。食べなければもっといい物が出てくる、と犬なりに考えているようだ。

確かにこのマーフィーは賢い犬だった。当初アパートに来た時は、筆者を下から舐め上げるように見上げて、「誰だ、こいつ」という目をしていた。つまり彼にとっては、自分のご主人リストに入っていないのだ。実際、サニーに頼まれて散歩に行く機会があったが――サニーは時々宿泊出張があった――言

マーフィー
「誰だ、こいつ」

うことを聞かない。自分の思い通りにならないと、地面に短い脚を広げ、動こうとしないのだ。こんな時は重たい身を抱きかかえて、やっとの思いで家まで連れ帰ったものだ。

その後、「モト——筆者のニックネームだが——は嫌いだ」と、サニーに目と態度で訴えるのだ。この頃である、軽い嘔吐などの症状が出始めたのは。マーフィーの個性なのか、ブルテリアの種としての特性か知らないが、独特の生臭さがあるのだ。また、胃腸の調子が悪い時はドッグフードの匂いも気になるようになってきた。

マーフィーも賢い犬である。半年も経つと筆者もご主人ナンバー2に昇格して、言うことを聞くようになってきた。そうしたある日、サニーがチワワの子犬を抱いて、曰く「捨てられていてかわいそうだから、飼い主が見つかるまでここにおいていいか」と聞いてきた。

人のいい筆者である。だめとも言えず、犬2匹と生活するようになった。すると数か月もしない間に、もう1匹子犬が増えた。マルチーズの子犬である。聞けばサニーの友人が韓国に暫く帰る間預かって欲しいと頼まれたようだ。

基本的に犬たちはサニーの部屋にいた。子犬はサニーのバスルームに囲いが設けられ、その中で生活していた。マーフィーは日中アパートの気に入ったところでゴロゴロしていたが、夜はサニーのベッドの上で寝ていた。

時々サニーが宿泊出張する時は大変である。マーフィーの朝晩の散歩、エサやり。ドッグフードはそっぽを向いてすぐには食べないところは変わっていないが、他に何もないので気が付いたらなくなっている。子犬たちにはマーフィーとはまた違うエサを与え、大便の掃除などの仕事がある。「何故こんなことをやっているのか？」と自問自答したものだ。

そして、最後にダメ押しが来た。ロサンゼルスに里帰りして以来、忘れていたソフィがやってきたのだ。聞けば、世話をしていたサニーの母親の体の調子が悪いため引き取ったというのだ。とうとう4匹になった。アパートは完全に犬小屋状態だ。

子犬たち

悪いことは重なるもので、我らの部屋の上階にも犬が2匹いて、それらがベランダに小便をするのだ。板張りだけのベランダのため、それが我々一階のベランダに流れ込み、悪臭がするようになった。結局、アパートの管理会社に苦情を言って止めさせようとしたが、うまくいかず、上階の住人が立ち退き処分になるまで半年くらいかかった。

どのアパートも顧客獲得のためペットは飼ってもいいことにしていた。このため多くの住民が犬を飼っており、アパート周りは犬の糞だらけであった。砂漠性気候で湿度が極端に低いため、すぐ乾いてしまうのがせめてもの救いであった。

ルームメートが無類の犬好きだということを察知できなかった筆者の不覚なのだが、犬が得意でない諸氏は、できればペット禁止の住まいを探した方が無難と言える。

最後のコンドミニアムのルームメートはアレックスだった。歳の頃は四十歳前後で、ラスベガスの隣町、ヘンダーソン市の高級ホテルで経理の仕事をしていた。筆者の二倍もありそうな大男ではあったが、人の良い、親切なルームメートだった。しかし、その親切が思わぬ問題を引き起こすのだ。

彼は歩く時に杖を使っており、事情を聞いたところ腰が悪いようで、整形外科、カイロプラクティック、マッサージなどいろいろ治療を試みているが完治しないそうだ。筆者も一～二度彼を乗せて病院まで行ったことがあった。腰に負担がかかるため、体重を落とすように医者に言われるようだが、これがなかなか守れないようだった。

とにかく食べる量は凄まじい。筆者の三倍は食べている。しかも、ビーフ、チキン、ソーセージなどの肉中心で、冷蔵庫の大部分を占める彼のスペースに野菜が置いてあったためしがなかった。時々日本そばなどを食べていると、のぞき込むので半分分け与えたりした。その逆もあって、アレックスが大量に作った肉料理を分けてもらったりもした。彼はグルメであるせいか、料理はおいしく、日本人受けした。時々折半で、中華料理の宅配を頼んだが、3人前注文して彼は2人前食べた。完全に割り勘負けだが、これも友好関係維持の必要経費と諦めていた。

もう一つの彼の特筆事項は、約束を守らないことだった。例えば、「日曜日の午後5時にウォルマートに買い物に行こう」、とアレックスから言い出して、その時間に部屋で待っていると、一向に現れない。何のことはない、彼は部屋で寝ているのだ。大好きな昼寝前では、約束などは完全に飛んでしまうのだ。

これは一旦その特性を捕まえたら、善後策を講ずることができるので、後々まで尾を引くことはなかった。以来、彼とは約束はしなかった。ウォルマートに買い物に行くなら、その時行動を起こすようにした。

彼にはいろいろ特質はあったが、親切な男だった。筆者が入居して間もなく、殺伐とした部屋に絵や、飾りなどを付けてくれた。聞けば、芸術に造詣があっていろいろコレクションがあるのだと言う。また、部屋に何もないのを見て自分のことのようにいろいろ世話を焼いてくれた。

勉強机は、彼が探したインテリアショップに注文して、2人で取りに行った。80ドルだった。椅子は、どこかで探し出してくれたらしく、翌日には置いてあった。これはタダだった。数日後には、部屋に簡易ベッドが置いてあった。頼んだ覚えはないのだが、買ってくれたようだ。これが40ドルだった。

コンドミニアムには共用スペースのリビングがあった。筆者より一か月前に入ったアレックスは、自分の部屋の設えがほぼ終わって、次にリビングの充実を図ろうとしていた。食卓は備え付けがあったが、ある日洒落たローテーブルが新たに追加されていた。暫く経つと、今度はヨーロッパ風の丸テーブルと椅子が2脚置いてあった。更に、羊の毛皮風のカーペットがリビングの半分ほどを覆っていた。家具調度類が増えるたびに恐る恐る、「いいね。買ったのか。幾らだ?」と聞くと、案の定補助をして欲しいと言ってきた。初めのうちは半額負担していたが、最後は三分の一に減らした。ガレージセールで買えば、中古ながら十分の一くらいの値段で買えるのだ。

彼の給与は月2回のようで、その日の冷蔵庫はいっぱいとなり、リビングの家具類もその給料日後に現れた。どうも彼の趣味はお金を使うことのようだ。そして、給料日前には、決してウォルマートに行こうと言わないし、冷蔵庫の中は空であった。すなわち、貯金もしていないようなのである。

アレックスの消費趣味は台所用品にまで及んだ。電気フライヤー、バナナスタンド、包丁類などが増えるたびに半額から三分の一負担した。

彼の部屋も豪華であった。所狭しと置いてあるキングベッドには高級な寝具が乗せられ、その前の壁には100インチを超える超大型テレビが備えられていた。クローゼットには何着もの高級衣料が吊してある。各種の靴が十足以上揃えてあり、男性には珍しく化粧品類も多かった。

筆者といえば、シングルベッド、テレビはなし、衣料は十年以上着ている古着数着ばかり、靴は運動靴二足とサンダルのみであった。

その後彼の腰の状態が悪化して、勤めていたホテルを休むようになった。ずっと家にいるので心配して声を掛けたりした。これが一か月ほど続いた。この時の落ち込み様は、気の毒としか言いようがなく、どうやって生活していたかも不明である。金を貸してくれと言われるのを覚悟していたが、それはなかった。
とにかくこれで彼の消費癖は収まった。しかし、ここで筆者の学業も終了を迎え、2018年8月、帰国の途に就いた。その後11月にまたラスベガスに行くことになり、取り置きを頼んでいた郵便物を受け取りに行った。話を聞いたら、腰も小康状態を保っているようで、また元の職場に復帰することができたという。筆者が住んでいた部屋は、時々遊びに来ていたアレックスの友人が入ったようでそれもプラスに働いているようだった。しかしながら、その後リビングの調度品で新たに加わった物はないようで、我慢の生活は続いているようだった。

ルームメートは選べないので多少の許容度を持って接するしかない。歳があまりにも違うとか、異性であったりすれば接点を減らすだけであるが、困るのは相手が親切のつもりで行っている行為が、我が方針と食い違うような場合である。こんな時は契約期間の半年とか一年で、何か理由を作って出ていくしかないが、逆のケースもあるので注意を要する。

注意不足／語学力のなさから失敗……

留学中の失敗は数えきれないほどあった。必要もない無駄な金を使ったこともあった。その主な事件は次の二つであった。いずれもアメリカの習慣を良く理解しなかったために起こったものだ。

2016年の5月、春学期は比較的順調に終了して、日本に帰国の準備をしていた。昨年は夏期休暇に車のバッテリーをダメにしてしまったため、今回はバッテリーターミナルから外して、ルーフのある日陰の、できるだけ目立たない片隅に駐車、保管した。車の保険は5月13日に切れるのは知っていたが、夏の間は使わないのでまた8月に戻った時に新たに買おうと思っていた。いわゆる保険代の節約である。

保険会社からは、保険を更新するように定期的な案内レターが来ていたが、無視した。予定通り帰国し、ウェブクラスの試験準備に忙しかったある日、保険ブローカーのハナさんから一通のメールが入った。アメリカでは登録されている車の保険は常に持っていなければならず、これが途切れたら罰金を科されるというものだ。

にわかには信じられない話だったが、善後策はあると言うので戻った後相談しようということにした。ラスベガスに到着後ハナさんに電話した。その声は、いつになく緊迫感に溢れていた。

彼女曰く「罰金を逃れるには、信頼できる人に一時預けて、その人に保険を購入してもらう」というものだ。つまり、その人に売ったことにするのだ。しかし、周りにそんな余裕のある人もなく、1人サンフランシスコに頼めそうな知り合いはいたが、保険のない車を運ぶ費用は小額ではなかった。

結局、諦めて新たに保険を買い、何が起こるか様子を見ていた。それは、翌年の1月13日の金曜日だった。車両の免許センターに登録の更新に行った時、いつもはスムーズにできる更新ができなかった。特別の窓口で手続きが必要なので待つように案内メールが入ってきた。理由は分かっていた。待つこと約一時間。女性職員の待つ窓口に自分の番号ランプが点灯した。「保険未加入だったため登録は保留された」と、高圧的な一言を発せられた。お決まりの釈明手続きの朗読が始まったが意味は法律用語で分からなかった。彼女の後ろでは、若い、屈強な黒人の職員がそのやり取りを見つめていた。

日本に帰国していたこと、そのような法律は知らなかったことを釈明したが、当然聞き入れられず、法規違反として501ドルの罰金を科せられた。

次の事件は近くの州立大学で起こった。勉強疲れのリフレッシュのため、内容の充実した、しかし高額でないジムを探していた。当時、ルームメートで州立大学に通っていたサニーから、ある情報を得た。州立大学のジムは、ネバダ住民なら誰でも使えて、しかも安く充実しているというのだ。

早速行ってみた。確かに見事なスポーツセンターだった。プール、バスケットコート、ジム、シャワー付きロッカー室など、設備は極めて充実していた。しかも、料金は月20ドルと安かった。

州立大学までは歩いて通えない距離ではなかったが、それでも30分はかかった。バスという手もあったが、二本乗り継がなくてはならず、中途半端な位置関係だった。仕方なく車で通うことにしたのだが、その充実したスポーツセンターの目の前に、いつも空いている駐車スペースがあった。そこの看板には、学生の駐車禁止、そしてアルファベットと数字が記されていた。何となく便利すぎるかな、と不安がないでもなかったが、気にせず駐車していた。三か月くらい経って、その快適な運動環境と、便利な駐車スペースに満足していた頃、フロントガラスとワイパーの間に一枚の紙切れが挟んであった。駐車違反のため管理事務所に出頭のこと、と書いてある。

その夜サニーに相談したら、数少ないフリーの駐車スペースはあるものの、学校の敷地内は許可車両以外駐車禁止になっていることが分かった。当のサニー本人も、授業がある時はかなり離れた学外の駐車場に停めて歩いて教室に通っているとのことだった。

せめて警告状でも出してくれたら、と不満を抱きながら管理事務所に出頭したら、若い学生風の女性が「学内の駐車規則違反で罰金です」、と事務的に伝えてきた。「そんなことは知らなかった」と文句は言ったが聞き入れてくれるはずもなく、60ドルが学校の収入として消えてしまった。

半ば詐欺というか、説明内容の見落としというか、極めてグレーな出来事もあった。それは奮発して市内の高級といわれるホテルに細君と泊まった時のことである。夜の食事も早く終え、寝るにはまだ早いためテレビでも見ようと思い立った。五つ星クラスのホテルでは、衛星放送のチャンネルも充実しているため、その映画専門のチャンネルで有名な映画を見た。結構充実した夜の過ごし方に満足して、翌日も違う映画を楽しんだ。

三日目の朝のチェックアウトの時だ。ホテルの会計係から、有料映画二本、40ドル間違いないかと、身に覚えのない請求を突き付けられた。アメリカではよくある間違いだと思って、ノー、と返事した。その後会計係はカウンター裏の部屋に入って行った。再度確認のためだろうと思って待っていたら、今度は黒人の大男を伴っていた。たぶん苦情専門のスタッフだろう。彼曰く、「間違いなく有料映画二本だ」と言い放った。

自分は有料映画を見た記憶もないし、ノー、と言い続けた。結局、一本分の映画代を払ってチェックアウトを終わらせたが、それでも納得がいかないので開けっ放しにしてきた部屋に入って、何か案内がないか確認してみた。するとテーブルの上に、有料映画の見方、料金などが書いてあった。筆者が衛星放送のチャンネルと思って見ていたのは有料映画だったのだ。非常に簡単な手続きの上、支払いを承諾するか、の確認もなかった。しかし、それは筆者の見落としであり、法的にはホテル側に落ち度はないであろう。以来、ホテルで映画を観る時は細心の注意を払うようにした。

今一つは、マルタ先生のビジネスのクラスでのことだ。課題の一つに企業への苦情レターを書く、というものがあった。当然英文の苦情レターなど書いたことがなかったので、インターネットで例文を探した。

幸いにも例文はたくさんあり、実績があり法律に詳しそうなサイトからダウンロードして参考にした。そのサイトは一定期間無料と大きく表示されていた。その例文をダウンロードするにはデビットカード番号を含む個人情報を必要としており、これを疑いもなく入力してしまった。その期間が到来したら改めて案内が来るだろうと思っていた。

数日が経って、二社のサイトのうち、一社から期限が切れる旨の案内があった。それを改めてよく読んでみた。すると、一定期間内にユーザー側からキャンセル手続きをしないと料金請求されると書いてあるではないか。直ちにキャンセル手続きをした。同様にもう一社もキャンセル手続きを行った。しかし、短い無料期間が既に過ぎ、30ドルの引き落としが行われていた。一定期間にユーザー側からキャンセル手続きをしなければならないことと、短い無料期間については、細かい案内事項の中に紛れて、確かに書いてある。完全な筆者の見落としである。しかし、巧妙であった。

ネットをめぐるこの手の巧妙な手口は多かった。マイクロソフトのオフィスの関連ソフトでもあった。偽のエラーメッセージを流して、ユーザーを騙して指定されたテクニカル・ホットラインに電話をさせるというものだ。

筆者もまんまと乗せられテクニカルサポートに電話した。エクセルを使用中にエラーメッセージが出てロックしたためだ。内容が専門用語でもあり、スペイン語訛りもあるため、たまたま近くにいたルームメートのアレックスに代わって聞いてもらった。彼は直ちに詐欺を察知して事なきを得たが、この手のサポートで料金を取る手口は横行しているとのことだった。帰国後日本でも同じようなことがあったが、今度は当然無視してリカバリー処理した。

お役所はやっかい

留学中にたびたび行くのは車の運転免許センターである。免許取得、その更新、車の登録、その更新など年1回以上は行くことになる。

ラスベガスには運転免許センターが三か所ある。しかしどこも混んでいる。やっとの思いで駐車スペースを探して中に入ると、受付はたいてい行列である。その受付を済ませるまで一時間かかってしまうこともある。

そしてこの受付がまことに不親切である。運転免許を取りに行くのは、アメリカに来て間もない時であり、言葉も分からないし、運転免許取得の手続きにも不慣れである。事前に流れを予習しておくのだが、実際の現場では分からないことも多い。

受付では早口で何かを言われ、聞き直すのもつかの間、「はい、次」となる。こんな時は、また後ろに並びなおして、もう一度聞く。混雑している時はまた出直すという状況だ。受付の仕組みは斬新だが、その効果は何とも評価しづらい。携帯電話の番号を受付で告げ、順番が近づくと携帯に連絡が届くという仕組みだ。

これで館内での混雑は解消され、待ち時間が長くても外で時間を潰せるようになったという。しかし、予定時間が急に早まったり、遅れたりで、結局中で待つことになる。従って、運転免許関係の手続きは半日仕事と覚悟した。

運転免許の取得は書類手続きが済むと、学科試験を受けることになる。筆者は3回目の挑戦で合格したが、平均並みか早い方だと思う。これにはネイティブのアメリカ人も苦労していたので結構難しい。

結局同じ問題が少しずつ入れ替わって出されるので、普通ならいつかは合格するのだが、初回25ドル、次回以降10ドルずつ受験料が取られた。

しかし、問題は路上試験だ。数々のルームメートが何回も不合格になっている。特に、運転が未熟な場合は合格が難しい。

筆者は、日本人の後輩留学生に車を貸し、運転の練習に同乗したことがある。ちなみに車は受験者が手配し、登録、保険や灯火類、シートベルト、ミラーなど安全装置に不備があってはならない。不備があったら即座に中止、再試験となる。その留学生は日本で免許証を持ってはいたが、ペーパードライバーであった。運転は安全運転ではあるが、いわゆるスムーズさがない。余裕がない運転と言った方がいいかもしれない。

この留学生は3回不合格になり、今回が4回目ということだった。3回目は、助手席側の、つまり試験官側のシートベルトの不備で、さんざん小言を言われて不合格になったそうだ。結局今回の4回目も不合格になり、その後暫く挑戦を控えたようだったが、合格したとの連絡はなかった。

筆者の場合は、学科試験から暫く国際免許で練習し、満を持して路上試験に臨んだ。試験官は優しそうな人と、そうでなさそうな人がいた。優しそうな人になるように祈りながら待っていたら、幸いにも温厚そうな女性教官に当たった。

人間気の持ちようである。これはいけそうと思うと、何となくうまくいくのである。最後の縦列駐車で思わぬミスをしてしまったが、それまでの運転にそつがなかったのか、不合格にはならなかった。

これから留学を志す諸氏は、免許取得の手続きに際しては先輩に同行してもらうことをお勧めする。様子がある程度分かった段階で独り立ちした方が無難なようだ。一方この試験はだんだん厳しくなっているようなので、当然運転技術は、必要単位と認識して、あるレベルまで上げる必要がある。

社会保障事務所もやっかいな場所である。筆者はもともと駐在時にこの社会保障ナンバーを持っていたので、事務所へ行ってこの番号が有効かどうか聞いてみたことがある。ラスベガスには社会保障事務所が一か所ある。ここも例によって受付は行列であり、30分以上待たされた挙句たどり着いた窓口では、やはり不親切な応対に遭遇した。留学生活も二年近くになっていたので、英語は分かったが専門用語は難解だった。結局、筆者が持っていたナンバーは休眠状態で、また復活させるためには雇用を証明するレターや、就労許可を証明する学校からのレターなどが必要だと告げられた。

これ以降縁はなかったが、ここもできれば避けて通りたいお役所の一つだ。

郵便局も混んでいる。運が悪いと20～30分くらい待たされる。筆者の場合は、遠く離れていたが客の少ない郵便支局を見つけて、そこに行くようにしていた。韓国系のスーパーマーケットがあるモール内の一角で郵便物の受付業務のみをしており、行列もほとんどなかった。ついでに、食材の調達もできたので多少距離があったが苦にはならなかった。郵便局は学校関係でもよく使うし、何でも書面のお国柄、生活関連でも頻繁に使うことになる。

単位が足りない

留学開始から二年経ったカジノ管理の最終年のことだった。インターナショナルセンターから一通のメールが届いた。それによれば、対面クラスの履修が一つしかされておらず、このままでは留学生の履修規則違反になり、学生ビザを失うことになるというものだった。

この頃になると学校にも慣れ、インターナショナルセンターにも暫く顔を出しておらず、全てが問題なしと思っていた。ところが留学生の履修規則では、一学期に対面クラスを最低3クラス、9単位取らなければならないとある。この学期はもう半分近く終わっており、対面クラスは一つだけしか取っていなかった。マルタ先生の対面クラスは期初にドロップしてしまっていた。

インターナショナルセンターに行って相談してみることにした。案の定暫く顔を出していないことでまずお小言をいただいた。それはそれとして、留学生の履修規則違反は思った以上に深刻だった。残り八週間で何でもいいから対面クラスを二つ取りなさい、ときつく言われた。たまたま簡単に取れそうな八週間のＥＳＬの対面クラスがあった。しかし、それは許可してもらえなかった。イングリッシュ１０１は前の期に取っていたので、それより易しいクラスは無駄だというのがその理由だった。その代わり、同じ接客／ホテル経営の学部のクラスを取りなさい、と言われてしまった。

このため取ったのがエアライン予約のクラスだった。このクラスは社会人向けのため、夜6時から始まり、しかも遠い北ラスベガスの校舎で行われるクラスであった。しかし、背に腹は代えられない、止む無くこのクラスを履修することにした。

さて後1クラスである。そこで見つけたのが、社会学のミラー先生のクラスだ。しかし、前述のようにこのクラスは意味が分からない上に人数が少なく、授業の途中で学生の意見を聞きながら進めるのだ。このクラスは授業終了後、後先考えずに直ちにドロップしてしまった。

さて困った。この頃になるとまた夜眠りが浅く、履修クラスを探す夢を見た。クラスの中には四週間クラス、つまり一か月で取るというのがあった。社会人向けで、夜6時から10時までの授業が週2回ある。多くは北ラスベガスの校舎であった。しかし、もう選り好みはしていられない。

そんな中、ジョーンズ先生のアカウントのクラスを見つけた。いろいろ他を探してみたが、出席可能で、3単位が取れるクラスはもうこれしかなかった。このクラスはフォスター先生のアカウントの次に取るクラスで、管理会計（Managerial Accounting）という授業であった。会計学の専攻では必須だが、筆者のカジノ管理では必須科目ではなかった。

クラス開始まで一週間あったので、できるだけ教科書を読んだ。しかし、案の定内容も多く、難しい。財務分析や損益分岐点分析、資本利益率分析や活動基準原価計算などの聞いたこともないような高度な内容が含まれている。だが、とにかく成績がCでもDでもいいからこれを取らなければならない。さもなければ卒業できない。

授業が始まり予習した範囲は何とかついていけたが、その範囲を超えた途端全くついていけなくなった。このクラスは出席を取らなかった。しかし授業は出席した。そして成績は2回の試験のみで決まった。

このクラスに最後まで残っていた15人ほどの学生の多くが会計の業界に勤める人たちと思われた。事実、時々先生が飛ばす質問に自主的に答える学生は意外に多く、しかも割と的確に答えていた。筆者が答えたら、語学力の問題もあるが、支離滅裂となっただろう。

ジョーンズ先生のクラスのスピードは凄まじく速かった。そのおかげもあって、10時までのクラスが9時頃には終了していた。これは大いに助かった。10時まで続いていたら寝るのは12時を過ぎるところだった。

内容は難しいが、何となく融通を利かせてくれる先生ではないかと期待を持ち始めた。まもなく中間試験という日に、教科書から離れて、試験の予習と称して40問の練習課題を一つ一つ解いていった。試験はインターネットを使って各自受験するものであった。半信半疑で、この40問の答えをノートに書きとり、いよいよ中間試験に挑戦した。たぶん実際の試験問題は確認した40問の類似問題が出されると思っていた。

ところが信じられないことが起こった。実際の問題は寸分たがわずその予習した練習問題であった。もちろんその40問の復習はしていたが、まさかそのまま出されるとは思ってもみなかった。これには感動した。

同様に最終試験の前のクラスで、また試験問題の確認があった。そして、それがそのまま出された。今までの苦労はいったい何だったのだろう、と思ったが、何となく晴れがましい気分でもあった。とにかく、どんな終わり方にせよ単位不足の危機は脱したのだ。

ウェブサイト盗用、0点

スロットマネジメントのクラスは、スロットマシンの歴史から、その種類や構造、関連法規、専用のマーケティング手法などを勉強するウェブクラスであった。このクラスも他のウェブクラスと同様、教科書を読んで試験を受けるという内容であった。ところがこの試験が、他とは異なっていた。普通は4択とか5択問題なのだが、このクラスは記述問題も多く混ざっていた。記述問題は、問われた内容に答えるだけでなく、ある文字数を確保し、文法上正しく表現しなければならず、実に留学生泣かせの出題であった。従って一旦この試験を開始すると、二〜三時間はかかっていた。問題は例えば次のようなものだった。

問一：スロットフロアの取締役とリーダーの役割について述べなさい。

問二：ネバダ州のカジノ管理委員会のスロットライセンス付与業務について述べなさい。

これに答えるためには、まず教科書のどこに書いてあったか見つけ出し、それをそのまま転記するか、ある程度要約して記述しなければならない。ところが教科書をそのまま記述することが多くなると、教官から注意される。こうなると困るのである。

仕方がないので次に教科書に載せられているインターネット上の参考サイトから、関連の記事を見つけそれを要約して回答した。

アメリカの学校では著作権が厳しく守られ、盗用などは絶対禁止になっていた。筆者も当然これを知ってはいたが、どの程度の引用まで許され、どの程度の減点になるのかは分からなかった。

第2回の試験で教科書の転記を注意され、第3回にはインターネット上の参考サイトから要約して回答することにした。これは90％以上の高得点を得て、うまくいった。第4回目の試験も同じ方法で回答した。ところが、「君は、調査活動が度を越している！」と、担当教官からメールが入った。その直後、学校の事務局からも、これを引用した警告メールが入ってきた。最初何が起こったか分からなかったが、試験結果を見て事の次第が把握できた。インターネット上の盗用とされ、0点とされたのだ。

このクラスは八週間クラスで、試験は8回、各試験が100ポイントであった。この一つが0点となると、かなりの痛手であるし、何よりも今後この記述問題にどう答えて良いのやら分からなくなっていた。

もう一つ懸念があった。それは盗用とされてこのまま済むかどうかだ。下手をすれば何らかのペナルティーを科せられる恐れがあった。

その後教官から別の内容のメールが入った。一つは、全体的に試験の消化が遅れているので、急ぐこと。今一つは、追加の課題を出すのでこれを提出することであった。これは事実上の学生の救済措置であった。

何よりも安心したのは、ペナルティーのようなものはなさそうだということだった。学校の事務局もその後何も言ってきていない。安堵とともに、他の学生も苦労しているに違いないと確信した。

救済措置は50ポイントの簡単なレポートで、かなりの救済だった。このまま続けるか、ドロップするか迷った。結局、ドロップして一年後に同じクラスを取った。何かが変わるかもしれないと期待してのことだ。この決断が功を奏して、新しいクラスは教官が代わって、試験は4択とか5択問題となっていた。

その後アメリア先生の上級ライティングのクラスで著作権の扱いについて詳しい勉強をした。

著作権とは法律上厳しく守られる権利であり、その盗用などは犯罪となった。そして、他者の文献を引用する場合は、Knight[15]などの決められた様式に従って欄外に必ず引用元を明示しなければならない。このクラスで何人かの学生がアメリア先生に注意を受けていた。提出課題の中にインターネットからの盗用があるというもので、軽い気持ちでやってしまうこの種の不正は後を絶たないようだ。

とうとうやってしまった、留年

ＩＳ（情報システム）の教官はスチュワート先生であった。このクラスは、学外の認定試験ＩＣ３の３科目に合格しなければ修了することができなかった。その３科目は、コンピューターの基礎、ネットワーク環境、およびキー操作であった。

２０１８年の５月、ビジネスの最終学期の残りは一週間。キー操作の１科目がどうしても合格できないでいた。プレッシャーは最高潮に達していた。授業最終日、３回目の挑戦を行った。しかし、得点は５６９ポイント。まだ途方に暮れるほど合格点の７００ポイントは遠い。

通常のＡＢＣＤＦの成績以外にＩというのがある。Incomplete（未達）の頭文字で、クラス

15　参考文献の著者や書名など　出典を明記する際に使う公式テンプレート

の課題は終了したものの、学外の認定試験などに合格しない場合に暫定的に与えられる。このままでは成績Iのままで終わってしまう。いわゆる留年だ。若い頃大学受験に失敗し、留年ではなく、浪人なるものの経験はある。しかし、自慢ではないが小学校から大学を通して、留年は一度もなかった。

学期も最終日近くになると、筆者のような1科目が取れないという学生が多く残ったようだ。通常この試験は授業中の最後の時間帯に受けるのだが、1科目が取れない学生のために追試験の会場を用意してくれた。これに合格すれば、成績認定の最終日に間に合う。そして留年は避けられる。追試は二日に渡って行われる。それなら2回受けられる。

準備は万全ではなかったが、4回目の挑戦を行った。結果は456ポイント。3回目より更に悪い。もうこうなったら一か八か、本当の最終日となる翌日も会場に行った。ところがこの試験のある重要ルールを見落としていた。会場に着いて、いつものようにログインを済ませ試験を始めようとしても、開始しないのだ。今までこんなことは一度もなかった。よくある端末のトラブルと思い担当の試験官に申し出た。しかしよく話を聞いてみたら、この試験は同じ科目の場合、二十四時間経過しないと次の試験が受けられないことが分かった。確か昨日の試験は午後4時頃終わった。今は午後2時。しかし、今日は会場の終了が早く今から始めないと間に合わない。

留年。とうとうやってしまった。

その後の結末は次の通りだった。成績Ｉの場合、次の学期までにキー操作を合格してスチュワート先生に報告しなければＦ、つまり落第になってしまう。次の期は夏期であるのだが、正式の学期ではないため、9月からの新学期中に取る必要があった。今の得点から見て、夏期を挟んで9月からの新学期中に合格できるかも見通しが立たない。

まず、住居の延長をオーナーに求めた。とりあえず、夏期終了の8月末まで三か月の延長だ。この頃までには、毎月期限前に欠かさず家賃を支払った実績が物を言ったのか、快諾してくれた。

次の難関は、家族の説得だ。メールのやり取りでは埒が明きそうもないので、一旦帰国することにした。ちょうどこの時期は、初孫誕生を控えていて、一度様子を見たいと思っていたこともその理由であった。幸い、皆の関心もこれにあって、割とすんなりと了解を取ることができた。というより、やはり呆れられて日本を出発したと言った方が近い。しかし、多少の実績も積んだし、先回ほどの鋭い視線は背中に感じなくて済んだ。いずれにしろこの情勢に鑑み、出産予定の9月半ばまでには試験に合格して帰国しないと今度は何が起こるか分からない。

学校は夏期休暇に入った。このため試験は行われない。この試験は、世界各国で行われているため、学外で試験会場がないか調べてみた。すると、車で20分ほどのパソコン関係の専門学校で受験できることを突き止めた。通常の受験料の他、10ドルの会場・機材使用料がかかったが、この際金に糸目は付けられない。

他のクラスは終わっていたので、これだけに集中できる。まず、ベーカー先生のクラスでいっしょだったルディスに連絡を取ってみた。彼女はこの試験を好成績で終了したと自慢していたので、相談することにした。彼女曰く、ユーチューブで類似問題が流されているので、それを記憶するくらい何回も何回も練習することだ、とアドバイスしてくれた。確認してみると、確かによく似た問題が流されている。他にやることもないので、このユーチューブによる勉強法に賭けてみた。

Professional Institute of Technologyは、いわゆるパソコン教室で、オフィスソフト、会計ソフトの使い方や、パソコンプログラムなどを教えていた。場所はラスベガスの繁華街であるラスベガス通りから西へ5㎞ほど行ったレインボー通りにあった。夏休みにもかかわらず、というより夏休みだからというべきか、学生は多かった。ＩＴ人材の需要に応えるため学校も活況だし、学生もどん欲なのだろう。

二週間ほどユーチューブと格闘した後、5回目の挑戦を行った。今回は少し手ごたえがあった。しかし結果は681ポイント。かなりいい線に近づいてきたが試験直後の画面に、Passという文字は出てこなかった。700ポイントまでもう二問足りない。更にユーチューブとの格闘が続き6回目の挑戦を行った。しかし結果は644ポイント。無情にも画面には不合格の文字が出てきた。

思えば3月から始まったISのクラスで思わぬ試練を与えられて以来、リフレッシュなどという余裕が全くなかった。一度気分転換もいいかなと思い立ってロサンゼルス方面に走り出した。この時何をしたかは定かに覚えていないが、アナハイムで大谷翔平選手の試合を見た記憶だけはある。多少の気分転換にはなったものの、晴れがましく野球に熱中するという訳にもいかなかった。

試験も6回を数えると、同じ問題が散見されるようになる。試験途中でメモを取るわけにはいかないが、記憶と、ユーチューブの類似問題を参考に過去問題集をつくることができた。これを手に記憶させて――頭ではない、手だ――7回目の挑戦を行った。

この時の試験はこの過去問題が思いの外的中した。そして何となく手ごたえもあった。緊張の中、試験終了後の画面に注目した。Pass（合格）の文字が出てきた。得点は756ポイントだった。

やっと卒業

このISをめぐっては、まだ続きがあった。歓喜の合格を何とか夏休み中に果たすことができて、この結果を指示通りスチュワート先生に連絡した。これで全ての必須科目を終了したことになる。しかし、これだけではまだ卒業できない。学校側に卒業認定の申請を行い、審査の上間違いなく決められた科目を履修し、留学生としての法的な問題がないかどうか確認を受けて初めて卒業できる。学生の中には、この手続きを怠ったために、卒業したと思っていても実は卒業していないというトラブルになるケースがある。

新学期もまもなく始まるという8月末には、予定通り日本に帰国していたが、この卒業認定の進行状況は頻繁にモニターしていた。通常なら夏期の成績認定の最終日までには、履修完了・卒業審査中が表示されるはずだ。しかし、依然として必要科目履修中となったままだ。新学期に入ってもこの状況は変わらず、スチュワート先生に確認のメールを何度か出した。でも返事が来ない。

この状況を何とかするため11月に入って、ラスベガスに行くことにした。重要な郵便物をルームメートのアレックスから受け取るという別件もあった。到着後早速CSNのインターナショナルセンターに行って事情を相談した。答えは、この種の成績認定手続きは通常時間がかかるので、一度担当教官に会って催促した方が良いというものであった。

幸いスチュワート先生のクラスがその日にあったため、クラス終了後に会って話してみた。先生は筆者のことは覚えていてくれて、にこやかに迎えてくれた。そして、成績認定手続きを忘れていたため、すぐやると、これまたにこやかに答えてくれた。また忘れられると困るので、メールで念押しをすることの了解を得て教官と別れた。

海外では物事が順調に進まない典型のような出来事で、スチュワート先生にも悪びれた様子はなかった。しばしば思わぬところで物事が止まってしまうので、自ら確認し、何らかの行動を起こさないと進まない。結局成績認定を受けたのはそれから一か月先の学期末であった。ここまでくれば一安心なのだが、ここから卒業認定が始まる。その後、履修完了・卒業審査中の表示が半年ほど続き、ようやく翌年の5月に晴れて卒業になった。卒業証書が届いたのは更に三か月遅れて、2019年8月であった。実に、予定より一年遅れの卒業で、ほんとうに物事が思うように進まないのがアメリカ、否、世の中である。


卒業式について少し触れておこう。2017年5月にカジノ管理の卒業式があった。卒業生は約4000人で、これに学校関係の役員、教官、そして父兄などが一堂に会するので相当な人数になる。当然CSNの施設では入りきれないので、毎年州立大学の講堂を使って行われる。

講堂は、一階に卒業生と学校関係者が陣取り、二階席、三階席に父兄が入って、ほぼ満員の状態である。

卒業生はあらかじめ決められたガウンと帽子を自ら購入し、卒業式に臨む。学生は青のガウンと帽子と決められ、学校関係者の黒色とは区別されていた。一人一人に卒業認定書の目録が手渡されるので、半日は十分かかる。渡される順番は、四年終了の学士から始まり、二年制のコース、そして筆者の認定コースと続くため、ずっと後の方であり、席も後ろの方であった。

学生の誘導の仕方や、式の進め方、観客の盛り上がりなど、堅苦しくは全くないが、それでも整然と、しかし熱っぽく行われ、イベントの国ならではと感じさせた。

卒業式
式典直後の喜びの様子

正式な卒業式の前に、アジア系留学生、ヒスパニック系留学生など個別の卒業セレモニーがあった。その一つに参加したが、Congratulation、おめでとうの渦で、卒業を成し遂げた敬意と喜びが伝わってくる内容だった。

筆者は2回目の卒業式があった。予定では、2020年の5月であったが、折からの新型コロナウイルスの感染拡大で延期された。事前に対象者にアンケートがあって、一年延期して従来通り行うか、中止するかなどのヒアリングがあった。この卒業式にも参加する予定だったが、残念ながらどうも幻に終わりそうだ。なかなか楽ではない、を総括するような結末である。

第九章

得たもの

親友は子供より年下

筆者の今回の留学での全受講クラスは33あり、このうち23クラスが対面クラスであった。この中で親しくなったクラスメートも多い。クラスでは何故か、若者とそれ以外で座席が分かれた。すなわち筆者の周りには二十歳前後の学生以外が集まっていた。そして、気が付いてみると体格の良い女性が隣に座っているのである。

アメリア先生のＥＳＬではイラン出身のザラであった。このザラは二期連続でクラスメートとなった。ＥＳＬのクラスではペアとなって発音練習などを行うので、いつもザラと組んでいた。発音やスピーキングは足元にも及ばないくらい優れていたが、何故かライティングと文法は苦手のようだった。３〜４人のグループ練習となるといつも入ってくるのは、イラク出身のシンダースであった。ここで初めて知ったのだが、イランとイラクは隣同士だが話す言葉は全く違うようだ。

キング先生のイングリッシュ１０１では、キューバ出身のシングルマザー、クリスチーナだった。クリスチーナは、アメリカが既に長く、語学センスも良かったのか、話す、理解する、書くはネイティブ並みで随分助けてもらった。しかし、子供の世話があるのか、アパレル関係の仕事の都合があるのか、クラスをよく休んだ。本人も愚痴をこぼしていたが、シングルマザーというのは大変なようだ。留学終了間際はCSNの案内窓口にいたので、学校で職を得たのだろう。

ベーカー先生のビジネスではペルー出身のルディスと隣同士であった。彼女は貧困者に食事を提供するようなボランティア活動を行っていた。授業は欠かさず出席し、課題は率先してこなす真面目な学生であった。ビジネスを勉強して、何か事業を始めると言っていたが、その後連絡は取れていない。

唯一の例外はアメリア先生のもう一つのESLのクラスでいっしょだった、エチオピア出身の芸術家ディであった。彼は個展を開くくらいの画家で、体格はスリムであった。アメリカのグリーンカード（永住権）を700倍の倍率の中で当てた幸運の持ち主でもあった。

彼らは帰国後連絡が途絶えてしまったが、今でも親友付き合いをしている人がいる。オリエンテーションで知り合った日系韓国人のK君である。入学当時日本から来てカジノ管理を専攻していたのがK君と、埼玉県出身のアナさん、および筆者の3人であった。その後アナさんは専攻を接客／ホテル経営に変えたので、カジノ管理は2人だけとなってしまった。

彼は1992年、茨城県に生まれた。両親は韓国人であったが彼が生まれた当時は日本に在住していた。しかし、父親の職場の関係で、子供の頃は韓国と日本との間で引っ越しを繰り返したようだ。中学、高校は日本で過ごし、その後大学に在籍中、東ワシントン大学に半年間留学している。

K君は日本語、韓国語が堪能で、それに英語が加わり、更に中国語も勉強している。何かしらこの語学分野に天性の才のようなものがあるのかもしれない。この日本語と韓国語に堪能なことがラスベガスで大いに役立つことになった。

同じ専攻であったが、彼とはほとんど同じクラスとはならなかった。英語力があったため、筆者のようにESLのクラスを取らなくてもよかったのがその理由の一つであった。また、専攻が同じでも彼は州立大学への編入を目指しており、筆者よりはるかに多くの一般教養科目を取る必要があった。

入学後暫くしてK君がよく筆者の部屋に訪ねて来るようになった。俗に言う、5月病と思われるが、なかなか物事に集中できない悩みを抱えていた。筆者は、5月病などというものに縁遠かったが、逆に歳を感じるというジレンマでもあった。

もう一つの来訪理由は、苦学生だったK君がお金に困った時だ。両親から仕送りをもらっていたが、十分な額ではなかった。それに彼の妹が大学受験を控えており、あまり親に負担を掛けたくないと思っていたようだ。といっても筆者も潤沢に持ち合わせている訳でもないので、貸せる金額は30ドル、50ドルなどごく少額だった。金に関して彼が他の人と違っていたのは、期間は少しかかったが、借りた金は必ず返してくれたことだ。

彼はアメリカでゲーム産業関係のビジネスを起こす夢を持っていた。従って社会勉強を兼ねて彼とたまにカジノに出かけた。筆者はもともと博才がないので少し勝っては、逆に少し負けてしまい、すぐ止めていたが、彼は粘り強かった。しかし、いつも勝てるわけはないので、金がなくなりどうにもならなくなると訪ねて来た。

彼がアルバイトを始めたのは、入学後一年を過ぎた頃であった。近くの日本食レストランのウェーターの仕事だ。この日本食レストランはラスベガスの西側、すなわち高級と呼ばれる場所に立地しており、折からの日本食ブームに乗り繁盛していた。

昼間学校があるので、彼の仕事は夜になるが、終わるのが深夜2時くらいになるようだった。この近くには韓国系の人も多く住んでいて、常連客も多かった。K君は持ち前の人なつっこさと、真面目な働きぶりで客から可愛がられた。このためチップも多くもらっていたようだ。この働きぶりを見ていたレストランの日本人オーナーもいろいろ目をかけてくれるようになり、初めはチップの30％が取り分だったのを50％、70％とだんだん増やしてくれた。

それとともに収入は増えていったのだが、問題も出てきた。それは夜の帰宅がだんだん遅くなることだ。閉店時間は決まっていたが、客が帰らなければ残っていなければならない。当時、実質的な夜の部の主任をこなしていたK君は途中で帰るわけにはいかなかった。彼の授業は週の二日間に集中させていたが、早朝店から学校へ直行し、少し仮眠して授業を受けることが少なくなかった。

たまに会うとたいてい顔色が悪かった。慢性的な寝不足だ。もう辞めるか、レストランを変えることを勧めようとした矢先、それを制するある話を聞いた。レストランの日本人オーナーがカジノを開く予定があるというのだ。そして、K君にその総支配人をやらないかという話であった。

カジノの免許には二種類ある。巨大カジノリゾートが取得する無制限免許と、それとは別に、スロットマシン15台以下の小規模のカジノが取得する制限免許であった。オーナーが目指すのは後者のカジノであった。

小規模のカジノといっても今やラスベガスには幾多の制限免許が発行されており、その免許を新たに取得するには相当な労力と予算が必要だった。K君の日常の忙しさは更に拍車がかかった。制限免許取得の仕事が新たに加わり、この合間をぬって夜のレストランの仕事をこなすという日常だった。

たまに会って話を聞くと、そもそもこれ以上免許保有者を増やしたくない当局、競合相手が増えるのは困る近隣の免許保有者と、カジノ反対の住民に囲まれて手続きは遅々として進まないという。それでも三年ほど経って、やっとの思いで免許取得の目途が立った矢先に、新型コロナウイルスの感染拡大で、また遅れを生じさせてしまっている。現在計画開始から六年経っているが、未だにカジノはオープンしていないようだ。

筆者は年に1～2回はラスベガスに行く。目的は学校の関係だったり、執筆の取材だったり様々だが、行くとK君の家に泊まらせてもらう。その家は、実際はレストラン関係の従業員の社宅だが、彼1人で住んでいる。

ラスベガスのホテルは三つ星クラスなら一泊50ドルくらいと安いが、週末は別である。値段は三倍くらいに跳ね上がり、予約も取りにくい。従って、週末は必ずK君の家に泊まらせてもらった。

K君が家に帰ってくるのは夜中の3時、4時なので当然筆者は寝ている。そして、起きてくるのが昼1時、2時となり、話ができるのはそれ以降となる。彼はアメリカの女性と結婚してラスベガス中心の生活設計を描いている。そして今取り組んでいるカジノをステップにして、ゲーム産業でのビジネス起業、および成功を夢見ている。彼の真面目な働きぶりと、ハングリー精神をもってすれば、何か起こす未来を感じさせる。

筆者の子供は、三十代後半。K君は二十代後半である。自分の子供より若いが、同級生でもあり、今後も付き合いの続く親友である。

発見、日本の文化

ケリー先生のエアライン予約のクラスに、鹿児島出身のY君がいた。彼は民間航空会社のパイロットを目指して勉強している二十一歳で、航空関係の学科をCSNで勉強していた。偶然にも日本人同士で隣の席になったため親しくなったものだ。2回ほど居酒屋で食事をともにしたが、若いのに酒がめっぽう強い。鹿児島出身だから酒は焼酎である。聞けば、十代の後半から練習を積んでいたようだ。

鹿児島の出身の人が酒に強い、というのは正しくないそうで、下戸、つまり飲めない人も多いそうだ。ただし、「飲めない人ははっきり飲めないと言うべきだ。さもないと酒がもったいない」とは彼の酒哲学であり、さすが薩摩隼人と、これは筆者を大いにうならせた。

Y君は、やはり夜のアルバイトを日本食レストランでやっていた。日本食レストランといっても、主力は持ち帰り弁当で、サケ弁当、から揚げ弁当などを売りとしていた。K君ほど長時間ではなかったが、週に2~3回は店頭に立っていた。

この店のやはりアルバイトで、ジュディという女性がいた。Y君から、彼女がいる時に弁当を買いに行って話し相手になって欲しいと言われていた。この店は、ラスベガスの東側で、立地としても良くないこともあり、客は少なかった。必然的にアルバイトとしては暇だった。

彼女は、日本のアニメの大ファンで、それがきっかけで日本語を勉強しているということだ。しかし、日本人客が少ないので日本語の勉強ができないとY君にこぼしていたようだ。その彼女の担当の日にサケ弁当を買いに出かけて行った。一目見て納得した。どう見ても、アラレちゃん[16]なのである。

弁当が出来上がるまでの20分ほど、彼女のアニメ談義を聞いてあげた。流ちょうな、しかも、何故かやや関西訛りまで入って、日本のアニメのストーリーの良さ、描き方の繊細さなどを聞いた。日本のアニメは世界で受け入れられていると聞いていたが、こんな熱狂的なマニアまでいるとは思わなかった。日本には行ったことがないが、是非アニメをテーマに日本を旅したいと言っていた。

ESLのチューターはいつもキューバ出身のアリーナを予約し、教えてもらっていた。チューターは、優秀な卒業生がいろいろな分野について学生に個人レッスンする制度で、大いに役に立った。

16　鳥山明原作の『Dr. スランプ』のアニメ化作品「Dr. スランプ アラレちゃん」の通称、およびその主人公ある日、アリーナを予約しようとしたら、予約端末に彼女の名前がなかった。後で聞いた話だが、怪我をして暫くチューターを休んでいたということだ。ある課題が差し迫っていたこともあり、違うチューターに教えてもらうことにした。

マイクは筆者と同年代で、髭を蓄えたかっぷくの良い、文化人っぽい雰囲気の人であった。予定は一時間であったが、30分くらいで終了して帰ろうとしていたら「日本人か?」という言葉から雑談が始まった。実は他の課題も山積しており、早く帰りたかったのが本心だった。

話が進むにつれ、思いがけない話題になった。「俳句を生んだ芭蕉や子規は素晴らしい」と言うのだ。英語で俳句などというものが存在していたことすら筆者は知らなかった。しかし、英語で詠むとなった場合ルールなんかはあるのだろうか。

彼曰く、日本語俳句は一行で書くが、英語俳句は三行で書く。三行それぞれの音節は2－3－2くらいを目途にする。そして、季節感を盛り込む、のだそうだ。

俳句などに全く縁も興味もない筆者にとっては、とんでもない驚きだった。聞けば英語俳句をたしなむ人々のサークルまであって、彼はそのメンバーだそうだ。数年前には愛好家たちと松尾芭蕉をめぐる東北の旅をしてきたと言う。その熱っぽい話を聞いているうちに、何か日本人として恥ずかしい気持ちすら覚えるのである。「俳句」は日本の文化であるため、外国には存在していないと思っていた筆者の井の中の蛙ぶりが露呈してしまった出来事だった。

「五七五」で全てを表すその奥深さから、日本だけではなく、「ＨＡＩＫＵ」として、世界中で愛されているようだ。

書道も人気があった。書道は中国でも盛んに行われているので、日本独自というわけでもない。事実インターナショナルセンターなどには中国の書の掛け軸やら、日本の習字が飾られていた。また、街々を歩くと漢字入りのＴシャツなどをよく見かける。意味が分かるものもあるが、どう考えても意味不明のものもあった。中には漢字の入れ墨を入れている人もおり、人気の高さがうかがえる。

ＣＳＮでは毎年11月に、各国大使の日（Ambassador Day）というイベントがあり、各国の留学生がお国の伝統文化や、食べ物を披露する催しがあった。日本ブースで人気だったのが、書道コーナーであった。名前の当て字や、日本のことわざなどを書道半紙に書いて手渡しするもので、いつもこのコーナーは人でいっぱいだった。

日本の文化ではないが、日本との外交に関して興味深い出来事があった。２０１６年から大統領になったトランプ氏は、移民の抑制について彼の公約を果たそうとしていた。ＣＳＮに限らず、移民や留学生の多い大学ではこの政策が不人気であった。学校で勉強する移民たちの多くがグリーンカード、いわゆる永住権や市民権取得の手続きを進めており、この遅れを憂慮していた。教官たちもこの問題を意識してか、表面上は反トランプの立場を取っていた。

ビジネスのジョンソン先生のクラスでこの移民が話題になったことがあった。今やアメリカ経済の底辺を支えるのはこれら移民であり、ホテルやレストランなど接客、サービス業の多くが移民なくしては成り立たない状況にあった。移民には南米やアフリカなどの紛争地から逃れてくる人々も多く、何故かアメリカ軍の駐留の是非に話が移った。

アメリカ軍の駐留は日本が一番多く、次がドイツ、韓国と続いている。議論は、アメリカは日本を守るために血を流すが、日本はアメリカを守るために血を流すかだった。答えはノーであり、議論に参加していた学生全員がアンフェアだとの意見だった。唯一の日本人だった筆者は、肩身の狭い思いをしたが、これが大多数のアメリカの若者の意見であることを肝に銘じて今後の国政を考えなければならない。

アメリカカジノの死角

ラスベガスにいる限り、ましてや自分の第一専攻がカジノ管理だっただけに、ギャンブルとは隣り合わせだった。毎年のギャンブル回数と戦績は次の通りだった。留学初年度の２０１５年は43回で、通算１５１ドルのプラス。ほとんどがブラックジャックだったが、たまにビッグホイールなどもやった。ビッグホイールとは、ディーラーが回すホイールの止まった番号を当てるゲームで、単純なだけに人気があった。次の２０１６年は４回で、39ドルのプラスだった。この年から急に回数が減った理由は、第四章で述べた通りだ。

参考までに、２０１７年は２回で、２９４ドルのマイナス。２０１８年は３回で、６ドルのプラスだった。通算では98ドルのマイナスとなった。

ギャンブル回数は劇的に減ったが、他人のゲームはよく見た。自分の手持ちを賭ける時ほどの緊張感はなかったが、それなりに伝わってくる熱気は刺激的であった。後ろから見られるのが嫌いな客もいるので、長くはいられないが、ほとんどは負けであった。中には５００ドル、１０００ドルをあっという間になくす客もおり、ある疑問を抱くようになった。あまりにもカジノ側が勝ちすぎるのではないか、というものだ。

自分の経験的にも、他人のプレーを観察しても、ギャンブルで勝つことは非常に難しい。統計的に見ると２０１９年のネバダ州の主要カジノの勝率は８・32％で、１２０億ドルの収益になる。[17] スロットマシンなどは高額ジャックポットがあり、勝率は６・９％と全体平均より小さ

17　Nevada Gaming Control Board　公式サイト

いが、一部の幸運な顧客に偏っており、一般の客は常に持ち出しとなる。

一方でカジノを歩き回ると無駄が目に付く。一番目につくのが客のいないテーブルで、手持ち無沙汰そうに立っているディーラーたちだ。どこのカジノ、どのテーブルゲームにもこうした手待ちが発生している。しかもかなりの人数だ。客はディーラーからディーラー、テーブルからテーブルへと流れるのでこうした余裕を常に持たせなければならないのかもしれない。また、雇用の維持促進のためと言われれば止むを得ないが、もう少し生産性を向上できないものかと思うのである。

次に不思議に思うのは警備員の数の多さだ。カジノグループによって制服が異なっているが、一目見て分かる格好をしている。筆者は一度警備員に注意されたことがある。たまたまコンビニエンスストアで買ったホットドッグをカジノ内で食べていたら外で食べるようにと退去を命じられた。

彼らの仕事はトラブル対応、不審者の監視、駐車場の交通整理、グラス類の後かたづけなど多彩で、キビキビ働いている者もいる。しかし、ただ立っているだけの者も多い。

もうひとつ目に付くのがカジノの天井である。ものすごい数の監視カメラが備え付けられている。ネバダ州法ではカジノ内部の監視システムについて、細かく規定されている。監視範囲の要件もカジノの規模毎、ゲーム毎に定められている。[18] 例えば各テーブルゲームで、顧客と

18　Nevada Gaming Commission Regulation：ネバダゲーム委員会法規
無制限ライセンス保有者の監視標準（Surveillance Standards）

ディーラーが明確に認識できるカメラで監視、記録しなくてはならないなどだ。顧客や従業員による不正や、顧客とのトラブルの解決を目的とするものである。

また、監視室には専門の監視員が配置され、従業員や、一般の人が出入りできないようになっている。果してこれだけ厳重な監視装置、監視体制が必要なのだろうか。

遅れに遅れているが行く行くは日本にもカジノを含むリゾートができる計画だ。日本の周りにはマカオ、シンガポール、韓国などカジノの強力な競合相手がいる。とにかくこれら世界の強豪を相手に勝たねばならない。それには何か明確な差別化が求められる。筆者が関係の業界に携わることができたら、是非これらの無駄を排除し、その分を顧客に還元できるようにしたいものだ。

意外な雑収入

筆者は勉強の合間を縫ってよく散歩をした。最初のうちはあまり気に留めなかったが、時々道に1セントコインが落ちていた。散歩のコースというのは幾つかあったが、だいたい決まっていた。そして、だいたい決まったあたりにコインが落ちているのだ。

ただただ散歩するのも芸がないので、そういう場合は拾うことにした。物乞いに頻繁に遭遇するので、拾った分は彼らに還元しようくらいに考えた。よく落ちている場所は、ショッピングモール、ショッピングセンターや、アパートの駐車場であった。たぶん車のキーを出し入れする際に小銭を落としてしまっているのだろう。

1セントコインは直径が2㎝ほどで、小さいため落としやすい。新しいうちは鮮やかな赤銅色のためよく目立つ。また、10セントコインはそれよりも小さく、これもよく落ちていた。銀色のため、これもよく目立った。

同じ銀色だが、5セントコインは日本の100円硬貨よりやや小さい。また、25セントコイン、いわゆるクオーターは日本の500円硬貨より一回り小さい。これらはある程度の大きさがあるため、落としにくいと思うが、たまにこれらも混ざる。しかし、落とすだけでもない場合があるのだ。大量の小銭がばらまかれているようなことがあり、多くは古い1セントコインだった。これらは明らかに捨てられたものだ。

調べてみると、全米で約300万ドルの金が一日に捨てられるという。こうなると散歩は下を向いて歩くことが多くなった。そして、よく落ちている場所は他にもあることに気づいた。散歩コースには地ビールを飲んだ後、カジノホテルを回るコースもあった。ギャンブル目的ではないが、向学のためカジノ、隣接のショッピング街や、賑やかな通りを散策した。

カジノにはビルブレーカーと呼ばれるATMがいたるところにある。この機械は、ATMの機能の他、両替やスロットバウチャーなど金券の換金を行える。この機械によく小銭が忘れ去られているのだ。恐らく、高額紙幣だけ取って、小銭を取るのを忘れてしまうのだろう。カジノでは勝っても負けても平常心を保つことが難しい場合がある。ましてや夜などはアルコールが入っているのでなおさらであろう。

月に一度くらいは紙幣も拾った。多くが1ドル札だが、5ドル札を拾うこともある。多くはやはり駐車場でのことで、何らかの原因でポケットから落ちるのだろう。カジノでは2〜3枚の紙幣が束で落ちていたりもした。拾うのに少し勇気が要るが、拾ったからといって何か言われ、咎められたことはなかった。

こうして得た雑収入は次の通りであった。

２０１５年は39ドル
２０１６年は37・04ドル
２０１７年は85・91ドル
２０１８年は72・68ドル

合計で234・63ドルになった。2017年と2018年は、それぞれ1回ずつ大口の拾得があった。多くは1セントなどの小額だが、毎日拾い続けると結構な雑収入になった。

日本ではこんなことは考えられないが、キャッシュレス社会が定着する中、現金管理に不慣れなアメリカの人々の弱点であることは間違いない。

多少の英語力、Butしゃべるのはなかなか……

留学中は毎日が英語漬けである。一生懸命聞かなければ事が進まないのでヒアリングは向上した。向上というより、慣れたと言った方が良い。たまに日本から来る英語堪能な人々が聞き取れない言葉を理解することができるので、それが証しであった。独特な言い回しや、アメリカ訛りがあるのでそれらに慣れたのだろう。

リーディングも向上した。結構厚い教科書を読んだりしていたおかげで、少なくとも横文字アレルギーは無くなった。また、斜め読みもできるようになってきた。

ライティングは今でも難しいが、アメリカで就職でもしない限り英語を書く機会はそうはない。何よりも、ネイティブでさえそうライティングが得意ではなさそうだから、我々第二言語人はやさしい単語で何とか表現できれば事は済む。とは言ってもこのライティング力は学歴の違いを如実に示すので、今でもアメリカの英語クラスの主力はこれである。

向上が見られなかったのがスピーキングである。筆者が取ったＥＳＬのクラスは10クラスあった。このうちライティングが5クラス、文法が2クラス、スピーキングが2クラス、リーディングが1クラス、であった。一番難しかったのがスピーキングの2クラスであった。

オリビア先生の発音のクラスは、教科書に沿った課題提出が25％、授業中の試験が75％で成績が付けられた。試験は例えば、Blue, Brew, Blow や、Berry, Very, Bury などの紛らわしい単語を先生が発音して、その単語を当てるというものだった。これはてこずった。Eye, I, Aye や、Right, Wright, Rite などはほとんど判別不可能だった。

聞く方も難しいが、自分で発音するのはもっと難しい。実際、街中では筆者が使う英語がほとんど理解されないケースが多くあった。たぶん、相手が日本語訛りに慣れていないのと、筆者の個人的な発音の不備に起因するのだろう。

ネイティブの音質は一般的に低くて張りがあり、腹から声が出ている感じがする。話す前に大きく息を吸って、それを吐き出しながら流れるように話す。一方日本語は途切れ途切れで、平べったい言語に聞こえるようだ。つまり、根本的に発音が違うのだ。

一時期発音の個人レッスンを受けたが、残念ながらその効果は限定的だった。

アメリア先生のスピーキングクラスでは、会話を録音して先生にチェックしてもらったり、面談で会話を評価してもらったりした。発音では、SとかFとかの子音がよく聞こえないというコメントをよく受けた。会話では、一つ一つのセンテンスが短く、流れがないと言われた。出した結論は、残念ながらネイティブのように発音できないし、流れるようには話せないということだった。今では開き直って、内容さえ正しく理解できれば、答えはイエスかノーのどちらかだ、と達観している。

自分でできるようになった、身の回りのこと

単身で生活していると、当然何でも自分でやらなければならない。宮仕えで東南アジアに単身赴任した時は、月1万2000円でメイドを雇っていたので、買い物、炊事は多少こなしたが、掃除、洗濯などはほとんどやったことはなかった。しかし、留学ではメイドを雇うわけにはいかない。

筆者の場合夕食は外食が多かったが、朝と昼は自炊した。ラスベガスには日本食店や、韓国系スーパーマーケットなどがあり、味噌、醤油、練り物、そば、ラーメン、カレーなどだいた

いの日本食材は手に入った。しかし、概して古く、おいしくなかった。一方、カリフォルニア州が近いせいか、野菜や果物はおいしい食材が手に入った。

そもそも料理などに興味はなかったのだが、毎日作って食べているうちに、どう調理したらもっとおいしく食べられるかにこだわりを持ち始めた。当時スチームケースと呼ばれる、電子レンジに入れるだけで食品を蒸すことができる容器を日本から持ってきていた。これに、ニンジン、ブロッコリー、カリフラワー、たまねぎ、生ソーセージ、卵などを入れて食べていた。味付けは塩味だけであるが、食材にはどうも最適の蒸し時間があることに気が付いた。多少の好みはあるが、例えばニンジンは4分、ブロッコリー、たまねぎと生ソーセージは3分、カリフラワーは1分半、という具合だ。卵に至っては、18秒で、黄身がはじける寸前が一番おいしい。当然この時間は電子レンジのワット数で異なってくる。

味噌汁も各食材の投入のタイミングによって、その食材のうまさ、そして全体としてのうまさに創意と工夫を施すようになった。

以来、食材と調理方法については研究するようになった。今では、細君よりはおいしく料理が作れるので、気が付けば筆者が作って、細君が食べるという役割が定着してしまった。

食品の買い物にも注意をするようになった。例えばイチゴなどは熟す前は固く、甘みがない。

かといって熟しすぎると大量のイチゴを1人で、一気に食べなくてはならなくなる。この微妙なタイミングをとらえて買うようになった。それは透明なプラスチックケースを裏返して底の方のイチゴを観察することだ。その1~2個に熟し始めた兆候を確認して買う。

パイナップルは見た目では全く分からない。早いと甘くないので、暫く置かなくてはならない。筆者は売り場でのパイナップルの数が少なくなったら買うようにしていた。このような買い方は頻繁に同じスーパーマーケットに行って観察しなければできないが、事実そんな買い方をしていた。

ラスベガスでは何故か野菜、果物類は年中入荷して、味もほとんど変わらずおいしかった。しかし、いつも土産で日本に持ち帰るアーモンドなどナッツ類には旬があった。カリフォルニアで秋ごろ収穫される初物が、年末から年始にかけて販売される。初物は格段においしい。日本にも旬というものがある。これを意識し始めたのも留学の産物と思っている。食材には食べ頃があるのだ。

料理の本ではないし、あまりにも常識なので詳しくは触れないが、きゅうり、なす、トマトなどの夏野菜はやはり夏である。一方ねぎ、白菜、大根は冬場がおいしい。

洗濯などは一度もやったことがなかった。しかし、今では洗濯表示の見方や洗濯ネットの使い方など、常識的な知識は身に付けた。まるで知らなかったことを思うと、その差は天と地である。

アメリカの洗濯機と乾燥機は、巨大でパワーがある。たまにルームメートの洗濯物の量を見て驚くが、半端ではない。だからパワーが要るのだろう。

アメリカでは洗濯物を外に干す習慣がない。乾燥機を使って乾くまで回す。幸い空気が乾燥しているから、2回も回せばほぼ乾く。たまに中国系の人々が外に洗濯物を干しているが、その姿を冷ややかな目で見るくらいだ。

反面衣類の痛みも激しい。普段着のTシャツ、セーターや下着類は新品でも留学中に消耗した。洗濯回数を減らす努力をしたが、清潔さとのバランスのとり方も考えなければならない。

いずれにしても、自分でやってみて初めて分かることは多かった。

気持ちの若さ――人生まだまだこれから

クラスメートの大多数は、二十歳前後の若者であった。彼らの話題は学校にあっては、専攻、単位、教官評価などである。学校を離れれば種々雑多であったが、仕事やアルバイトの話、食べ物の話、女なら男の話、男なら女の話が主なものである。

一旦日本に帰ると話題ががらりと変わる。その中心は、年金、老人ホーム、親の介護、孫、自分や他人の健康状況などである。心なしか周りを見渡すと、筆者と同じくらいの世代だけで、若い人は極めて少ない。


エミー先生のESLのクラスはライティングの範疇に入っていたが、いかに自分の意見を表現するかが主題の一つであった。このクラスは、ウェブクラスと対面クラスを併せ持ったハイブリットクラスであった。従って課題や試験はほとんどウェブ上でこなす。週1回の対面クラスは教科書に沿って進められるが、内容の多くが環境問題、社会問題などについてであった。また、自国の文化や自分自身について述べる機会もあり、筆者は雪山で温泉につかるニホンザルについてエッセイを書いた記録が残っている。自分自身の将来について述べる機会もあった。筆者は、将来IR法が成立した暁には、日本にもカジノを含むリゾートが出来上がること。早ければ2020年の東京オリンピックには開業の運びになること。そしてカジノ管理について勉強し、仲間といっしょにカジノリゾートを作りたい、と実現するとは思っていなかったが夢を述べた。

この種の質問は留学中によく聞かれ、この問いには前述の通り答えることにしていた。

このクラスは若い留学生が多く、国際色も豊かであった。家庭の主婦や、働いたことがあると想像される学生は何らかの夢や、希望を述べる。しかし、多くの若者はこの質問に答えられないのだ。そんな学生にエミー先生は、何が好きかとか、趣味は何かとか質問を変えて答えさせようとする。

自分が二十歳前後に将来の展望を持っていたかどうかは定かに記憶していないが、少なくとも出身国を出て、はるばるアメリカまで留学するからには何かあっても良さそうなものだ。

余談になるが、筆者のこのカジノリゾートの話は、周りの人に相当なインパクトを与えた。すなわち、筆者をかなりの資産家であると勘違いさせてしまったようだ。このクラスの学生で、中国から来たサンなどは、リゾートを建てた暁には自分を雇って欲しいなどと言って来た。接客／ホテル経営を専攻しているし、日本語も勉強すると、売り込みをかけられた。ルームメートのアレックスにも同じことを言われた。まるで自信はなかったが、両者とも連絡先の交換だけはしておいた。

ビジネスのジョンソン先生のクラスは二つ取った。そのうち一つが人材の採用、育成を主題としたクラスであった。ジョンソン先生のクラスは予定が定まらず、迷走することも多かったが、いかに学生を企業に売り込み、そこで成功させるかという先生の哲学のようなものがあった。

履歴書を、完璧になるまで何度も書かせたりした。筆者は5回目でやっと合格した。また、仕事上の人生訓とよばれるようなことわざを記憶させ、それを書くという試験が高ポイントで出題された。

このクラスは、ほとんどがネイティブであり、若い学生も多かった。クラスの主題に関連して、自身の進む道と、それを実現させるための能力について述べる機会もあった。アメリカ人というのは、若いうちから将来の夢や希望をしっかり定めて、それに向かって努力するよう教育されるものだと思っていた。

しかし、実際はどうもそうとは限らないようだ。正社員として働いたことのあるような人は何らかの夢や、希望を語るのだが、多くの若者は自己の将来について未だに曖昧なのである。

こういう時のジョンソン先生は容赦がない。自分の子供、否、孫のような学生に容赦ない愛のむちが飛ぶ。そういう学生が、これを理解してくれるかは分からない。しかし、ジョンソン先生ではないが、思わず、「お前しっかりしろ」と、口には出せないが、念じているのだ。

そう、筆者が語る夢や、希望などは言ってみれば海のものとも、山のものとも分からない。若者も、筆者も長い、短いはあるものの、ともにこれからのことなど分かろうはずがないのだ。ただただ、ともに人生これからなのである。

モト大嶋（大嶋 基敬）

名古屋大学工学部機械科卒業。

トヨタ自動車販売（現：トヨタ自動車）に入社。働く傍ら、中小企業診断士・行政書士の資格や名古屋経済大学大学院で修士を取得。

2014年の定年退職後、南ネバダ大学に留学し、カジノマネージメント、ビジネスマネージメントを学ぶ。

人生はこれからなのである ――六十歳からの留学

2021年5月10日　初版発行

著　者　　モト 大嶋

発行所　　株式会社　三恵社
〒462-0056 愛知県名古屋市北区中丸町2-24-1
TEL 052-915-5211　FAX 052-915-5019
URL https://www.sankeisha.com

ISBN 978-4-86693-363-4

古代淀江ロマン遺跡回廊ブックレット 3

淀江から考える歴史を活かしたまちづくり

講演　西村　幸夫　東京大学名誉教授
國學院大學教授

2021年11月27日　米子商工会議所
大会議室にて

はじめに

令和3年4月7日に私たちが立ち上げた「古代淀江ロマン遺跡回廊」推進会議は、米子市淀江町西郊の小波地区の丘の上にただ一基残されている前方後円墳の百塚88号墳を保存・活用すること、さらに淀江町の豊富な遺跡群や文化的景観と古いまち並みを保全して、古代淀江を想い描く回廊を整備し、未来の世代に豊かな遺産を引き継ぐことを目標としています。

私たちはこれまでに、この分野でわが国の第一線でご活躍されているお二人の専門家による講演会を2回開催して、ブックレット1及び2として講演録を刊行しました。

この第3回講演会は、前イコモス国内委員会[注1]委員長を10年間務められ、またイコモス国際委員会副会長を長く務められた、西村幸夫東京大学名誉教授にお願いしました。先生は「景観と歴史を活かすまちづくり」分野の第一人者でいらっしゃいます。先生には2日間にわたり淀江の要所をご視察いただき、「淀江で考える、歴史を活かすまちづくり」と題して、今日の淀江をご評価いただき、まちづくりに重要な要点についてご講演いただきました。

会場の米子商工会議所大会議室では、予定した50名のお客様が、実際には70名となり、またオンラインで30名以上の方々が全国から視聴されて、総計１００人以上の方々に、この講演をご視聴いただきました。またYouTube[注2]により、講演会後も引き続きご視聴いただいていることをお知らせします。

淀江町では、約２０００年前の弥生時代のわが国最大級の妻木晩田遺跡や、法隆寺と並んで日本最古の壁画をもつ飛鳥白鳳時代の上淀廃寺が発掘されて、全国的に注目を集めました。そのほかにも、約７０００年前の縄文時代から数々の遺跡や多数の古墳群が存在し、狭い範囲に国史跡が4つもあり、国内でも稀有なほど歴史遺産の豊富な町です。

淀江町で約50年前に編纂された、１，５００ページを超える『淀江町誌』には、これらの遺跡群について詳細に記載されており、遺跡を大切に思う当時の執筆者達の熱気が伝わってきます。先人たちのおかげで、ホンモノ（Authenticity）の遺跡群や文化的景観とまち並みがよく残されている淀江町を、どのように保全し、デザインして次世代へ引き継ぐかは、現代の淀江町民に、米子市民に、鳥取県民に、さらには縁がある私たちに、問われていることであると確信します。

「古代淀江ロマン遺跡回廊」推進会議　共同代表　**倉島君夫**

注１：国際記念物遺跡会議（ICOMOS/International Council on Monuments and Sites）国内委員会、ユネスコの諮問機関として世界遺産登録やモニタリング等、文化遺産保護活動に関わる国内委員会

注２：https://kodaiyodoe.wixsite.com/yodoe

目次

ご挨拶

倉島　君夫（推進会議共同代表）

進行役（**足立**）　定刻になりましたので、ただいまから始めさせていただきます。

会場の皆さん、こんにちは。今日は、この冬初めてという寒さのなか、たくさんの方にお集まりいただき、ありがとうございます。

ただいまから「古代淀江ロマン遺跡回廊」推進会議の連続講演会パート3、西村幸夫先生の講演会を開催させていただきます。私は、本日の司会進行を務めさせていただきます、推進会議の淀江支部の足立英市と申します。よろしくお願いいたします。

今日は、会場に定員をこえる70名近い皆さんにお集まりをいただきました。鳥取市や島根県など、遠い所からもお越しいただきました。そして、今回はリモート配信もしております。オンラインで約30名の方が全国各地から今日の講演会を視聴されることになっております。

それでは、講演に入ります前に、主催者を代表いたしまして、「古代淀江ロマン遺跡回廊」推進会議の共同代表の倉島君夫が挨拶を申し上げます。

倉島（**共同代表**）　皆さん、こんにちは。私はご紹介いただきました共同代表の倉島君夫でございます。

今年の4月に、淀江町有志の方、それから東京淀江会の方々、県西部出身の有志の方が集まり、淀江町の百塚88号墳と歴史的環境の保全と活用を目標に「古代淀江ロマン遺跡回廊」推進会議を立ち上げました。そして、まずは淀江のもつ歴史遺産について、われわれも学ばねばならないということで、連続講演会を企画いたしました。

第1回講演会で水ノ江和同先生は、淀江には縄文時代、弥生時代、古墳時代、飛鳥・奈良時代と、数千年にまたがる数々の遺跡が存在し、その価値の高さからも全国の1、718市町村のトップ30位に入るほど貴重な地域であると指摘されております。第2回講演会で矢野和之先生は、淀江には秀峰大山の伏流水がもたらす湧き水が豊富で、命の水源と素晴らしい自然環境、数々の遺跡や古い町並みがあり、祖先が築いた正真正銘なもの、本物がある、この本物を活かしたまちづくりで広域野外博物館、エコミュージアムができると提言されております。

そして今日、第3回の講演会は、東京大学名誉教授で、現在は國學院大學の教授をなさっておられます西村幸夫先生にお話しいただきます。先生は全国各地の歴史や景観を活かしたまちづくりの研究と実践のご指導や、また関連法規の整備等で業績を積まれ、都市計画とまちづくりの分野の第一人者でいらっしゃいます。今日は「淀江から考える　歴史を活かしたまちづくり」という題で、淀江の町の現状の評価と、将来の潜在力につき貴重な話をお聞かせいただきたいと楽しみにしておるところです。

私事になりますが、私は淀江から少し離れた弓ヶ浜半島の和田町の出身でございます。昭和27年、もう大昔になってしまいましたが、15歳で故郷を離れましたので、淀江の町は実は存じませんでした。それが、今から4年前の秋とその翌年の春、東京から知人や友人のグループを三度にわたり山陰観光に案内して、淀江を初めて訪問し、妻木晩田遺跡、上淀廃寺跡、白鳳の丘上淀展示館などを見学して、淀江の大きな可能性と魅力を初めて知りました。そのことが、今こうして私が「古代淀江ロマン遺跡回廊」推進会議の共同代表の末席につながっている理由でございます。磨き上げれば淀江は米子の奥座敷、奥庭となり得ます。私共がたどったように、国内外からのお客様も、たとえば皆生温泉に泊し、翌日は淀江の史跡見学と景観を散歩して楽しめます。淀江は昔風に言いますと東西南北一里四方、車より徒歩がいいでしょうかね。田園風景に心安らぎ、高台に立てば美保湾や弓ヶ浜半島、大山の雄大な風景を眺めて英気を養うことができます。淀江は米子の宝箱であると推進会議では表現しております。その宝箱を、たんなるおとぎ話の玉手箱にしないために、私達は努力したいと思っております。

それでは、西村先生、この宝箱の中身をご紹介いただき、淀江のまちづくりについてご講演をお願いいいたします。どうかよろしくお願いします。ありがとうございました。

進行役　ありがとうございました。それでは講演に移ります。本日の講師の東京大学名誉教授の西村幸夫先生をご紹介させていただきます。西村先生は福岡市のご出身で、東京大学で都市工学を専攻され、東京大学の教授から東大先端技術研究センター所長、副学長を歴任されました。先生は、皆さんもよくご存じの世界遺産を審査する、日本イコモス国内委員会の委員長を長らくお務めになられたことで有名ですが、そのほかにも文化庁参与、文化庁文化審議会委員、自治体学会理事長、国交省国土審議会委員など数々の重責を歴任されておられます。

先生は、歴史上価値の高い建造物だけではなく、その周辺の環境、歴史と伝統に培われた生活など、それぞれの地域に固有の歴史的風土､歴史的景観を保存し、継承していかねばならないということで、景観法や歴史まちづくり法の制定、そして文化的景観の保全を推進してこられました。また、そうした優れた歴史的空間は観光資源にも繋がるということで、國學院大學で来年度に開設される観光まちづくり学部の準備に尽力をされておられます。

淀江には、数々の遺跡だけでなく美しい景観や町並みが残っております。米子も勿論そうですが、それらを総合的にとらえて、これからのまちづくりに活かすためにどうすればいいのか、歴史を活かしたまちづくりの第一人者でいらっしゃる先生からご助言がいただけることを大変光栄に思っております。

それでは、西村先生よろしくお願いいたします。

講演「淀江から考える
歴史を活かしたまちづくり」

西村　幸夫・東京大学名誉教授
國學院大學教授

1．はじめに

皆さん、こんにちは。改めまして、西村です。よろしくお願いいいたします。

今ご紹介にありましたように、私は都市計画をやっています。歴史的なまちを活かすような都市計画をやりたいということで、ずっと若い頃からやってきました。私が若い頃は、高度成長の頃に都市問題を考えた人達が我々の教師の世代であったものですから、歴史を活かすまちづくりのようなことをやっている人はいませんでした。実際に、私がこういう分野をやりたいと言った時に、「基本的にそういうことは歴史家に任せればいい、我々は都市問題を解決するためにいるのだから、もっとでかいことをやるべきだ」と言われて、非常に違和感を持ちました。ですから、当初はすごく少数派だったのですけれども、時代の方が変わってきてくれて、こういうことが大事だといわれるようになってきました。そして今は、自分が若い頃に、「そういうことは歴史が専門の人間に任して我々はもっとでかいことをやるんだ」と言われたのとは違う道を進んで、ここまで来ることができたということに関しては、時代の方が近寄ってくれたのかなという気がしています。ということで、今日はそういうお話を淀江から考えてみたいと思います。少しスライドを用意してきましたので、ご紹介をしながらお話ししたいと思います。

2．淀江で考えたこと

さきほど簡単に自己紹介をしましたけれども、私は日本各地で歴史的な町をいろんな形で応援してきましたし、何か保存問題があると保存問題を支援するということもありました。最初にそういう難しい問題で私が関わったのは、北海道の小樽運河でした。最近では、広島県にある鞆の浦という港町の埋め立て環境問題に関わったりしました。そういう意味で、日本各地に関わってはきましたが、実は淀江には、今回初めてお邪魔しました。妻木晩田遺跡のことは、もちろん名前は知っていたのですが、私の専門は都市計画であり、遺跡は都市ではないものですから、直接関わることはあまりありませんでした。米子までは来たことがありましたが、淀江には来たことがなかったのです。昨日、今日と淀江のいろいろな形の歴史遺産を、ご当地出身の考古学者佐古和枝先生に案内していただきながら見てまわりました。その時に、よそ者としてどう感じたのか、どういう印象を持ったかというところからお話を始めたいと思います。

図1は上淀廃寺跡から見た風景です。少し右に振ると、日本海が見えています。これを見た時に私がいちばん感じたのは、ここには変なものがないんですよね。日本は、ご承知の通りいろんな歴史が小さい島国に重なっているので、いろんな所にいろんな歴史があるし、文化も多様です。それはそうなのですけれども、人間が多いということもあって、その後いろいろな開発がたくさん起こっているので、それがそのまま全体として静かに、価値が目に見える形で繋がっているところは、あまり多くないですね。大都市のまわりはほとんどそういう状況です。

それからすると、淀江は本当に全体に、よく残っています。隣接する上淀の集落もおそらくずっと昔からあって、目の前には向山古墳群もある。それから、向こうに見える壺瓶山の山裾に集落があるというのはいちばん古い集落のつくり方ですよね。驚いたのは、海

上淀廃寺跡から壺瓶山を遠望

上淀廃寺跡から日本海を望む

図1　上淀廃寺跡（国史跡）

も近いのです。ですから、ここの全体が本当に一つの環境として感じられて、それを壊すものがない。全然ないわけじゃないけれど、日本全体から見ると本当に静かで、まずいものがない。いろんなものが昔から繋がっている、歴史が連続しているということを、すごく感じることができると思います。

図2は、上淀廃寺跡の北側にある、国史跡・向山古墳群のある向山丘陵で、向山1号墳（岩屋古墳）をはじめ、9基もの前方後円墳が密集しています。ちょっとわかりにくいですけれど、写真の真ん中あたり、丘陵の中腹あたりに現代のお墓があるのです。つまり、古墳そのものがお墓なのだけれど、そのお墓が今もお墓として繋がっている。人を葬るという歴史が、ある意味、今日まで繋がっている。佐古先生に伺うと、古墳が今でも墓地と共存している例は他でもないわけではないそうです。けれども、そういう所は、だいたいまわりがぐっと市街化しているので、こういうふうな形で、先ほど言いましたようにまわりに変なものがなく、本当に昔あったロケーションがイメージできる形で繋がっているという所はほとんどない。ここではそういうロケーションを全体として感じることができるのです。

図2　向山古墳群（国史跡）のある向山丘陵

図3は国史跡の妻木晩田遺跡です。ここを訪れると、2000年前に、なぜここに人が住み始めて、こうした埋葬の場や集落を作っていったか、そしてどういうものを大事にしながらここで暮らしていたのかということを、実感できるんですね。感じることができます。それは本当にすごい。他ではあまりないことではない

かと思いました。

図4は車の中から撮った淀江の風景です。手前側に農地が広がっていて、山裾に集落があって、そして山がある。そしてそこは、古代から人が住み続けていて、今でもそうで、そしておそらく同じような土地利用が2000年とかそれ以上、ここにずっと継続している、というふうに言えるわけですよね。もちろん、それは、全然変わってないわけではなくて、少しずつ変わるのです。建物にしても、それほど古い建物があるわけではない、少しずつ変わっています。けれども、ここに異質なものが建っているわけではないですよね。もちろん建物の中の生活の仕方は、冷暖房完備しているなど、新しくなっていることでしょう。けれども、ロケーションと建物の規模や全体の形とかが繋がっている。連続性があるので、違和感がないのです。だから、まったく凍結しているわけではないけれども、繋がりながらも、その連続性が目に見える形で、誰にでもわかる形で残っているということを、淀江の町を車で走っているだけでも、随所に感じるわけです。

図３　妻木晩田遺跡（国史跡）

図４　淀江の風景

図５　上淀集落

図5は、上淀廃寺跡に隣接する上淀の集落です。これは長屋門という門ですかね。門を入ると、その門が蚕の生産の場だったり物置だったりするという、そういうスタイルの農家建築があります。

そして、図6は、高井谷の集落です。少し車を走らせるだけで、こんなふうに全然違う景色があって、集落としての密度が高く、でも調和がとれているような集落がある。集落のあり方が多様なのです。なにか同じような集落が続いているわけではない。だけれども、歴史の中にずっと長いことあっただろうということは、実感できるわけですね。私は集落や都市のことをやってきたので、こういうところに目がいってしまうのですけれども、本当に繋がりを感じる。そこに見事な景色があるわけです。図7は、この集落にある「天の眞名井」で、日本の名水百選に選ばれています。水も豊かだし、そういう水の風景というのがある。

淀江だけではなくて、図8は米子の旧市街地のいちばん中心的だった商店街の一角の景色です。お店も昔からそう変わらずにあるわけです。建物は変わっていますが、江戸時代の初期の都市計画がそのまま実感できるのです。道幅もそうだし、建物、そしてここが町人町であったという姿がとてもよくわかる。そこを曲がると横丁、そして図8下の写真でおわかりのように、少し道がクランクしている。それはなぜかと言ったら、手前側の通りの方がメインで、そこから曲がる道はサブの道だということが、ここでも実感できるわけです。ですから、こういう歴史的な町人町が、城下町としてすぐ目の前に残っているということですね。

図6　高井谷集落

図7　天の眞名井

図８　米子市　元町商店街

この通りの裏側には加茂川が流れていて（図９）、ここが生活の場、そして流通の場でもあったと思います。そして、49日かけてお亡くなりになった人を追悼してこうした札を張る「札打ち」という風習がある（図10）。こういうのを見ると無形の文化がそこに息づいています。これは一人の人だけがやっているわけではなくて、たくさんの人がそういう伝統のなかで生活しておられる。こういうものが随所にあるということが実感できるわけです。無形のものも、こういう形で見ることができる。

図９　加茂川

図10　札所

今日の午前中、ふたたび淀江に行きました。今日は車を降りてゆっくり歩く時間がなくて、写真が撮れなかったので、図11、12はストリートビューをそのまま使っています。

昔の旧山陰道が通っています。そして、これは淀江のＪＲの駅から降りて、突き当たって左へ行った所に、ちょっとしたクランクがあります。これは意図的につくったクランクですね。ご覧になったらわかるように、淀江の町の通りは米子の町に比べると、ちょっと

図11　旧山陰道のクランク

図12　クランクの先の橋

曲がっているわけです。米子の町は定規で測ったようにまっすぐに、まさに都市計画で造っているのですが、淀江は人がずっと歩いて行くような道なので、街道が少しずつ曲がっているわけです。でも、図12の写真を見ると、ここはクランクしているじゃないですか。これは意図的にクランクさせているわけです。これは確実にそうです。非常に長い通りは真ん中あたりでクランクさせて二つに分けるというのはよくあります。町を二つに分けるのです。そして非常に感心したのは、ちょうどクランクしている所に宇田川が交差する。これは、まさにそういう所に川をおそらく引き込むような形でまちを造っていったのだろうと思います。そして、そこが流通の幹線でもある。非常に長い街道筋の町の中心部をクランクさせて、クランクと川とを直交させるような計画を立てている。そこで川側の表と道の表の顔の両方を見ることができるわけです。これは他にあまりない、すごく面白い町の造り方だなと思います。17世紀の初めぐらいだと思いますけれど、当時の計画意図みたいなものをすごく感じるわけです。実際、普通に過ごしていると、単にそういうところもあるとしか思わないでしょうけれど、実はこういうものが町の中に意図的に埋め込まれているのです。

事例紹介～クランクのある町

クランクしている道の例をいくつか紹介しますと、図13は愛媛県の内子町です。クランクしているでしょ。ここから古建築が残る古い町が始まるんです。

図14は、大分県日田市の豆田町です。ここも明らかにこれは正面に、向こうから見ると建物がこっち側、通りをずっと見通せるので、一番いい場所になるわけですけど、そういうものを二つ造ることができるわけですね。

図15は福井県坂井市の三国です。ここはここで藩が違っているのです。丸岡藩と福井藩で、ちょうどその境い目がクランクの場所になっている。だから、意味があるのです。

図16は福井県武生市です。こういうのは意図的に町を造っている。図17は福井県小浜市です。

だから、いろいろなところにこういうものがあるのですが、淀江の場合は、クランクの所にうまく川が流れるような都市のデザインをしているのです。他にはあまりないので、非常に面白いと思いました。

図13　愛媛県内子町

図14　大分県日田市

図15　福井県三国町

図17　福井県小浜市

図16　福井県武生市

淀江は「年縞」のような町

その時に私が思ったのは、淀江は「年縞」のような地域だということです。年縞という言葉はVarve（バーブ）という英語の翻訳です。それは何かというと、福井県若狭町に水月湖という湖があります（図18）。三方五湖という五つの湖があって、その中の真ん中の湖です。

図18　福井県　水月湖

この湖は、本当に静かなきれいな湖ですけれど、一見すると普通の湖です。ところが、世界的にすごく珍しくて、ここには河川が直接流入していないのです。河川は、水月湖の南側にある三方湖に流れ込むので、河川が溢れても、水月湖の水質は汚れない。海にも繋がっているのですが、海との間にはまた別の湖があるものですから、海の荒れた波とか汚れがここには来ないのです。大きな変化を全然受けない、深さ34ｍという非常に深い湖です。

湖のなかのプランクトンは、季節ごとに多くなったり減ったりします。春から秋には増えて、冬になったら減る。多くなった時のプランクトンが冬に死んで沈殿しますが、波が立たないものだから、その沈殿した白色の層が1年間で0・7ミリぐらいの層になるらしいです。水月湖には、この層が7万年分もたまっているのです。湖が深くて下の方は酸素が少なくて、魚もそこまで行かないから、湖底の堆積が撹乱されないのです。その7万年分の土の層をボーリング調査で採取すると、その中にいろんな地球の変化を読みとることができる。すごい湖です。その0・7ミリの層が重なってできた縞模様のことを年縞と呼びます。その年縞が7万年分もあるのです。本来は17万年分ぐらいありますが、完全に繋がっているのは7万年分ということです。

それだけではありません。0・7ミリでどんどん堆積していったら、この湖は徐々に浅くなってくるじゃないですか。そしたら結局、堆積しなくなるのですけれど、その堆積するスピードと同じぐらいでここは地盤沈下をしているのです。日本海側が少しずつ沈み込んでいるのだそうです。年間で0・7ミリぐらい沈むので、たまるスピードと同じなのです。それで、水深が一定だから、ずっと年縞ができる。もう信じられないでしょ？　そういう湖は、世界で2カ所しかないそうです。だから、ものすごく貴重な湖なのだけれど、なにも知らずに見ると、あぁ、きれいだなというぐらいの単なる湖です。でも、年縞のことを知って見ると、ものすごく貴重だと思うじゃないですか。水月湖の横には、年縞博物館が建っています。機会があれば訪れてみてください。

私は、淀江は、そういう意味で本当に、まるで年縞ができるみたいにいろんな時代のものが重なっていって、ずっと安定している、そういう町なのではないかと思ったのです。できれば、年を経るごとに良くなっていくといいですね。悪くなっていくのでは、寂しいです。だんだん良くなっていくという町は、なかなか少ないです。だいたい、いいものはなくなったり、あぁ残念だったねとなるのが普通です。淀江は、どんどん新しいものが入ってきますけれど、水月湖のようにゆっくり変化するからこそ、注意深くいろんなものに目配りすることで、町を良くすることができるのではないか。変化のスピードが速い町は、なかなかこれができないわけです。やろうと思ってもどんどんいろんなものが変化して、何かお店ができたり潰れたり、大きな建物が建ったりする。コントロールできないのですけれど、淀江はコントロールしやすいのではないかと思います。

３．《事例紹介》
だんだん良くなっていった町
岐阜県古川町

実は私は、そういうまちづくりをやりたいと思ってこの道に進み、いろんな町に関わってきました。次にご紹介するのは、岐阜県飛騨市の古川町です。１９８０年代からもう40年以上、けっこう長いこと付き合っていますので、その町が変化していった様子がわかります。

図19の左上は、今から35年ぐらい前の写真です。ここに何か可能性があるのではないかということで、右上のような提案をおこない、左中→右中→左下→右下のように少しずつ変わっていって、弁天堂ができて、だんだん緑が豊かになってきたのです。何もない普通のちょっとした空地が少しずつ良くなっていって、町が緑であふれていくということが起き

図19　岐阜県飛騨市古川町

図20　岐阜県飛騨市古川町

ているのです。

　図20は、その向こう側の川側です。ここも35年間の変化で、お祭りがあったり、県が河川改修したりするのだけれども、良くなっているでしょ。これは、都市全体として変化が少ないからできるんですね。それをいろんな人が慎重にやっています。町のあるべき姿に関して、町の皆さんが共有していれば、河川をやる人も、それからお祭りをやる人も、神社の人も、お寺さんも、町の行政も、コミュニティも、その姿に向かって少しずつ何かやっていき、町がいい方向に変わっていくのです。

　図21も同じく飛騨市古川町の明治後期の写真です。小さい川が町の中に流れており、私達が行った頃は右上のような感じだったのです。まあ、ちょっと変わった景色ですね。右側に蔵が並んでいて、町がある。

　ここは、調べてみると、もともと水路の水を使うようなアクティビティがあったり、洗い場があったりしたので、そういうのをもう一回再生できないだろうかという思いが徐々に動いていって、変化してきたのです。

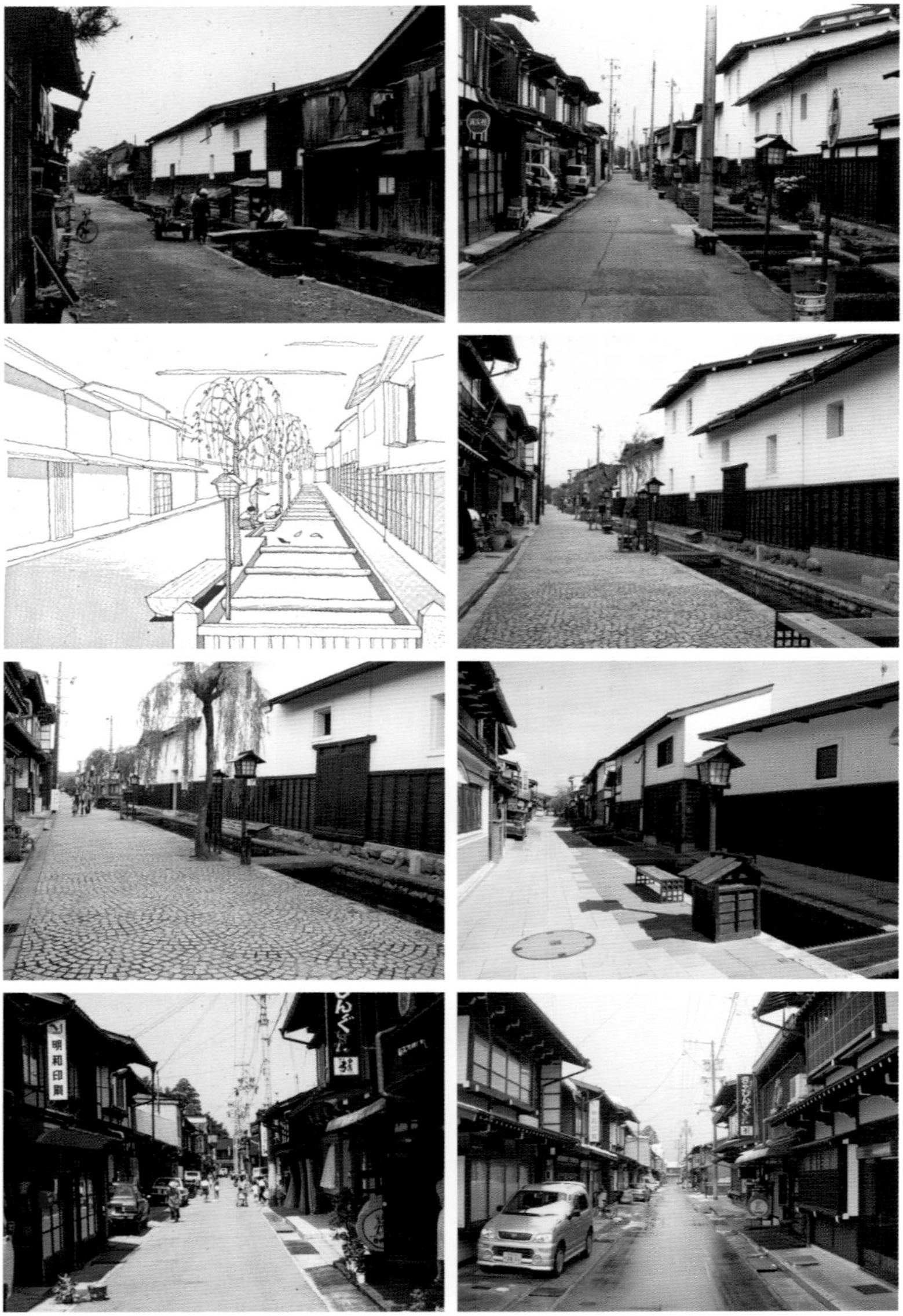

図21　岐阜県飛騨市古川町

私はこの町と長いこと付き合ってきました。普通の町は、行くたびに、ああこれが良かったのになくなったとか、なんか変な建物が建ったとか、工場みたいなものが建つとか、いいものが壊れたとか、ああ残念だ、昔は良かったのに、というふうにだけ思っていたのですけれど、この町はそうではなくて、行くたびに、ここがきれいになったとか、ここがこういうふうに直ったとか、特に観光地でなくても、行くたびに良くなっていく町があるんだということを知らされました。そうすると、私がやっていることは、そんなに間違ってないかもしれないと思えてきました。若い頃は、そういうことはできないかもしれない、夢物語かもしれないと思ったのですけれど、いくつかの町と付き合う中で、こういうことができるのではないかと思えるようになりました。

ただ、それには条件があります。町の歴史がきちんとあって、そして変化があまり大きくなくて、その町の歴史に対してコミュニティがしっかり関心をもっていることです。大都市では、行政が厳しい規則を作ってやらない限り、なかなか難しいですけども、中小の都市ではこうしたことが可能なのです。

図22も、同じ古川町の中です。中心部は商店街があるのでなかなか難しいです。最初はこんな感じだったのですけれど、徐々に変な看板がなくなっていって、今後この電線もなくすということなので、もっと良くなります。こういうことが起きてきました。

駅前も最初は、図23の左上のような写真のようだったのですけれど、どんどんきれいになっていきました。ここの場合は、ある意味、行政側の力です。町というのは変わるんだと。こういうことこそ、歴史をうまく活かしてまちづくりをしていくことではないかと思うようになってきたのです。

4. 歴史を活かしたまちづくりの全国的な流れ

まちづくりの仕組みと制度の整備

いくつかのまちと付き合いを続けていると、それぞれに悩みを抱えていたり問題があったりします。それらを解決するために、いろんなことがやられていく。

図22　岐阜県飛騨市古川町

図23　岐阜県飛騨市古川町

ただ、ある時点から、そういうことも大事なのだけれども、全体としての仕組みを変えていかないと、日本全体が良くなっていくことにならないのではないかと思うようになりました。一人がやれることは限りがありますからね。ということで、もう少し仕組みの方の整備もやらなくてはいけないのではないかと思いました。

それで、図24に「歴史を活かしたまちづくりの全国的な流れ」を記載しています。こうした流れが生まれたのは、私だけではなくて、同じような思いをもつ人が徐々に増えていったということです。全体として、かつての高度成長期から成長のスピードが徐々に鈍って、そして逆に人口減少になってきたというように、時代が変わり、その時代に合わせていろんなものが変わってきたという歴史があります。

それを見てみると、都市計画に近いような制度ばかりを取り上げていますけれども、たとえば１９７５年（昭和50年）には、歴史的なまち並みを守るという「伝統的建造物保存地区」制度ができました。それまでは、重要な建物は文化財に指定するということだったのですけれども、96年には、そこまで重要ではない建物でもやはり守った方がいい、もっと裾野を広くいろんな建物を守りましょうということで、「登録建造物」制度ができます。75年の時は私もまだ大学生だったので、さすがにこの制度には関わっていませんが、96年以後はほとんどの制度に私も関わり、力を尽くしてきました。

1975年	伝統的建造物群保存地区
1996年	登録建造物制度
2004年	重要文化的景観
2004年	景観法
2008年	歴史文化基本構想
2008年	歴史まちづくり法
2018年	文化財保存活用地域計画
2018年	歴史まちづくり法における歴史的風致維持向上計画の延長

図24

重要文化的景観と景観法

２００４年には、文化財保護法が改正されて、「重要文化的景観」の仕組みができました。淀江のような農村景観は、ほとんどこれにそっくりそのまま当てはまると言えます。つまり、農業をやりながら後ろの山を守って集落があるというような風景、先ほどから写真をお見せしてきたような風景というのは、「文化的景観」なのだと、これは大事な景観だということが、２００４年に初めて法律の改正によって言われるようになりました。

田んぼがあるような風景なんて田舎に行ったらどこでもあるじゃないかとお思いになるかもしれないけど、でも考えてみて下さい。田んぼがある風景は、田んぼを作ってくれる人がいなくなれば、荒れて終わりです。毎年田んぼを作り続ける人がいて、その人達が田んぼの目の前に住んでいるから、集落があるわけでしょう。集落があって目の前の田んぼがきちんと作られ続けているからこそ、この風景が守られている。まさに淀江の風景がそうじゃないですか。これは文化的な行為なのです。つまり伝統的な日々の生活のしかたそのものがすごく大事だということですね。「重要文化的景観」の仕組みによって、そういうものを評価しようということになりました。現在、全国で70カ所以上が重要文化的景観に選定されています。

ですから、米子市が熱心だったら、「重要文化的景観」に手を挙げても、十分認可されるでしょう。そうすると変な開発は事前チェックがかかるし、いい開発に関しては応援する仕組みができるわけです。何もしないで、皆さんの誠意に任せるというだけでない、緩い網がかかるようになります。

２００４年には、「景観法」という法律ができました。この法律によって、都市の中の変化も景観の中である程度コントロールすることができるようになりました。これは学者の中では、私がいちばん深く関わったと思います。ちょうど私の教え子の世代が作ってくれた法律で、教え子たちと一緒にいろんなことをやりました。

歴史文化基本構想と地域計画

２００８年には、「歴史文化基本構想」の仕組みが制定されました。これは文化財の方のプログラムで、この地域はこういうふうな構想をもって今後のことを考えるべきではないかという、歴史や文化の面でのマスタープランを作ることができるようになりました。そして、それが法律上の計画になったのが２０１８年の「文化財保存活用地域計画」です。これは市町村が作る計画なので、米子市が作ってくれるといいですね。日本でも１００都市以上が手を挙げていて、今まさに動いています。

これを作るとなると、米子市の市域全体のどこがどういうふうに大事で、文化遺産を保全活用するためにどこをどうやるべきかということを全部決めないといけないことになります。重要な地域を決めていくとなれば、たとえば城下町の地区と淀江地区は明らかに重要な地区になるので、そういうところを今後どう活かしていくのかという計画を立てるのです。これは文化財保護法上の計画で、なおかつ文化庁の認可を受けて、少なくとも10年間は続けることになりますから、方向が固まるのです。ですから、こういうことの中で、淀江の町は、史跡周辺を含めて、今後こういうふうに整備・活用するべきだという「地域計画」を作ることは、すごく大事なことだと思います。そして、そういうことを、米子市だけがやるのではなくて、専門家の人や地域の協力を得ながらやるように、市に要望するということが重要だと思います。

歴史・文化に関する米子市の「地域計画」があれば、その「地域計画」といま淀江で計画されている産業廃棄物最終処分施設をどうしたらいいのか、もしどうしても造らなきゃいけないとすると、それをこの全体の計画にマッチするにはどうしたらいいのかというようなことを考えることになりますからね。

そのほかに、国土交通省は２００８年に「歴史まちづくり法」を制定しました。これは、歴史を活かしたまちづくりを進めるために、国交省も応援しますという法律です。アメばかりの法律です。

この法律でも、10年時限でいろんな計画が立てられることになりました。２００８年にできたので、２０１８年にその次の10年もやれるような仕組みに若干変更しました。これも、１００都市ぐらいは動いています。ですから、「歴史を活かしたまちづくり」は国の制度の上でも充実してきて、いろいろなことがやれるようになってきています。

こういう流れが生まれたのは、２０００年ぐらいからですね。つまり人口が減り始める時期になって、やはり世の中が今までみたいに「イケイケ、ドンドン」では難しくなってきた。何か新しいものをつくって、付け加えながら町を良くしていくということではなくて、まずいものは消去しながら、引き算で町のいいものを残していくような計画に変わってきたということが言えるのではないかと思います。

図25は文化的景観の報告書の表紙と裏表紙です。文化的景観に選ばれたのは、こんな景色なのです。林とか水田とか段々畑とか牧草地とか防風林とか棚田とかです。どこも何かモニュメントがあるわけではなくて、生活の中の風景ですね。真ん中の写真は北海道の風景

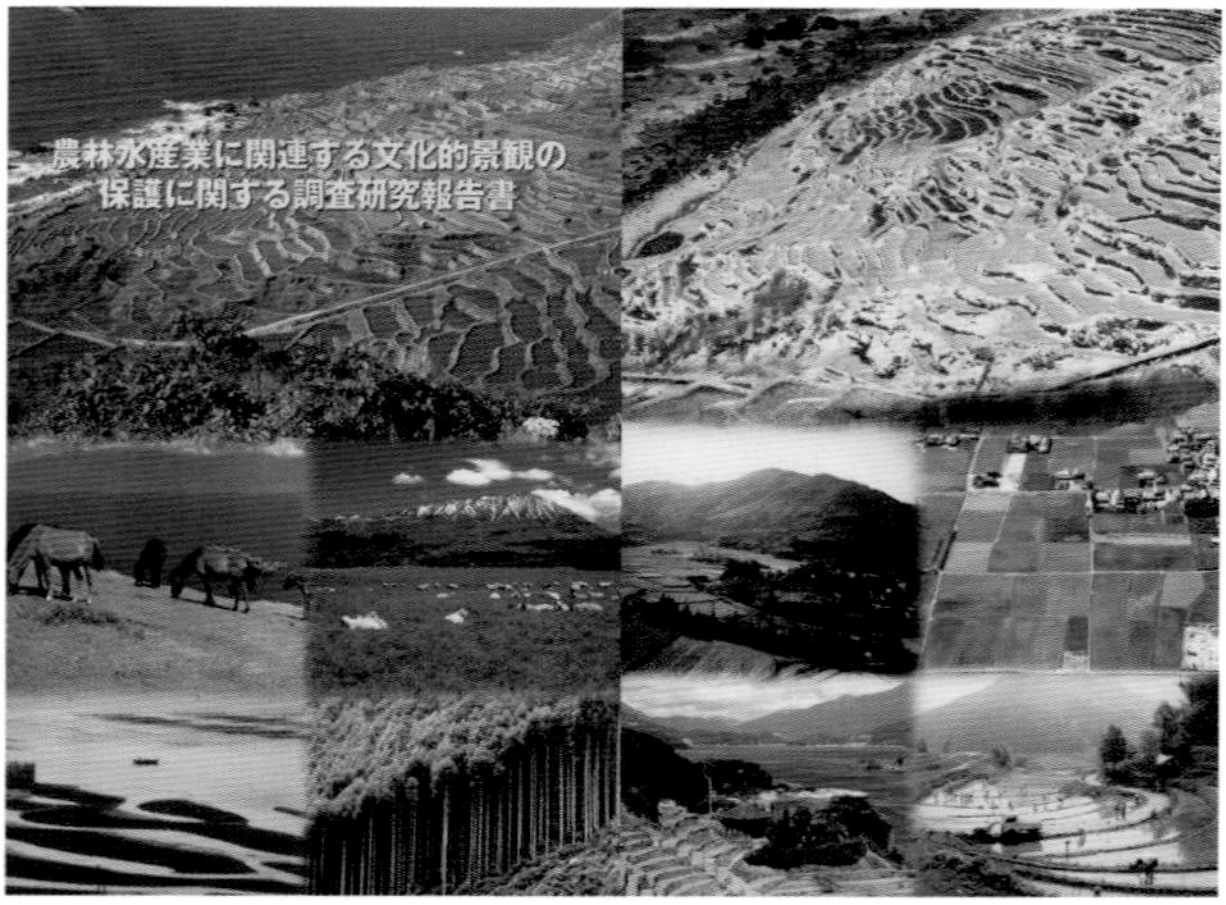

図25

ですけれども、淀江の風景に結構似ていますよね。

古墳をとりまく環境も大切~百塚88号墳の場合

「歴史まちづくり法」は、国土交通省の管轄なので、町の中だけではなくて、重要な史跡がある場合、史跡のまわりはそれにふさわしいような建物を造りましょうというような制度です。史跡は文化庁が守ってくれています。図27のいちばん右下に古墳がありますね。古墳は文化財なので守られるのですが、そのまわりに建つ建物は、文化庁は守ってくれないわけです。たぶん文化庁は、古墳を守ることで精いっぱいで、まわりは管轄外になるわけです。では、古墳のまわりには何を建ててもいいのかということになると、そこに変なものを建ててしまうと古墳の価値がマイナスになるじゃないですか。古墳の価値がマイナスになると、地域全体から見ると損になるわけですね。お互いの価値を活かしてプラスになればお互いにとっていいわけなので、そういう町をつくろうということです。昔みたいに、お金をかけてものすごいものを造ったり、すごいことをやるということは、いまの日本ではなかなかできなくなってきているけれども、すでにいいものがあるのならそれを活かすようなことをやれば、造ったものも活かせるし、地域全体にプラスになる、ということですね。

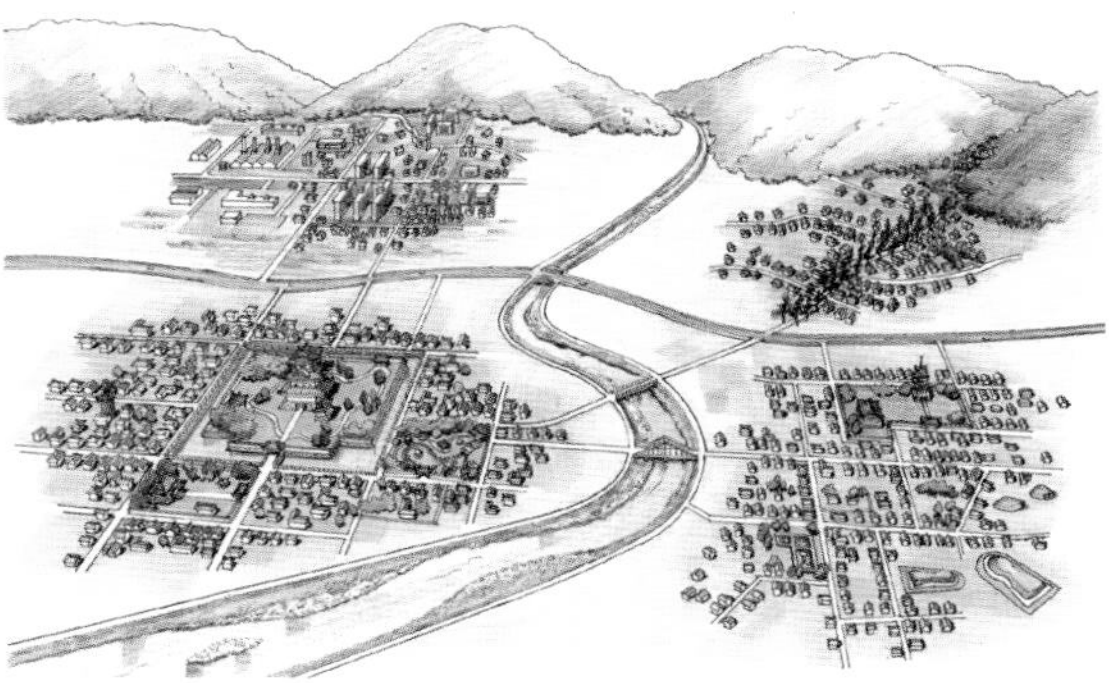

図26

図27

ですから、淀江町の場合も、産業廃棄物最終処分場を造るなとは言わないにしても、造るならその予定地の端の方にある百塚88号墳を活かしてくれれば、お互いにプラスになるはずです。地域のイメージも上がるし、施設が地域に協力しているということで、いいことではないですか。特に、こうした迷惑施設の場合は、それが重要ですね。迷惑施設を受け入れるというのは、地域にとって大変重い決断なのですが、でもそれは別にもっとプラスのことがあれば、プラスとマイナスと差し引きしてプラスが勝てば、それは地域としても受け入れられる。では、そのプラスとは何だろうかと考えるということが、やはりとても大事なのだと思います。そのために、いろんなことを応援するというプログラムが国土交通省の方で出来上ってきている、ということです。

どう活かすかを考えて整備をする

それと、もう一つはお祭りみたいなものです。図28は高山のお祭りの様子です。からくり屋台といいます。

高山では春と秋にお祭りがあるのですが、祭りの日だけこの広場でからくりの上演がおこなわれます。そうすると、1日だけですけれども、沢山の人が来る。その1日が、この場所を劇場みたいにするわけです。町のことを考えるとすれば、この日がいちばんのハレの日なのです。ハレの日にここにいちばん人が集まるので、まわりに普通のマンションが建ったら興ざめじゃないですか。そのために、ここに高い建物は建てないとかいうルールを作っています。まわりに変な建物を建てないという、この日のこの催しを盛り上げる工夫があるのです。でも、それは地域のことをよく知ってないと、なかなかできません。ここは普段は何もない公園ですけれど、ここに滑り台とか変なものを造っては困るわけですね。この広場をこういうことに使うのだということを考えながら広場を造っているということです。

図28　岐阜県高山市

地域を知ることが地域の誇りをうむ

図29は山口県萩市です。萩は、実はすごい低湿地なのです。ですから、城下町を造る時に非常に苦労しています。萩の町が完全に城下町として出来上がったのは幕末です。低湿地が多かったので、なかなか市街化が進まなかったのです。だから、町のなかに水路が網の目のようにあります。水路が網の目のようにあるのは、淀江も同じですね。図29の上の写真では、水路の

石垣のところに何か出ているでしょ。これだけだと何かわからないのですが、内側に入ってみると、下の写真のようになっています。ここに水を入れて、その水でお茶碗とか洗うような空間があるのです。これを知ってこれを見ると、この町は水とこんな付き合い方をしているすごい所だと思いますよね。でも知らずに見ると、別に石垣にちょっと何かが出ているだけだとしか思わないでしょう。

図29　山口県萩市

つまり、地域を深く知ることで、その裏側にある生活の豊かさみたいなものをみんなが感じ取って、それが自信につながる。こういうものこそ自分たちの宝だと思えるとか、またほかの人にもそのことを話せるようになることで、地域が自信を取り戻せるということがあると思います。こういうものをいかに自分達の地域が持てるかということが、これから先、自分達の地域がずっと頑張れるかどうかということではないか。そのために、自分達の町のいろんな所を知らないといけないですね。

淀江の町は、国指定史跡の妻木晩田遺跡は、ある意味大変だったけれども、守られました。でも、それ以上にいろんな宝がもっともっとあると私には思えます。そういうものを、国史跡を確認しながら、いろんなことに展開していって、それを萩のこういう物語のように、みんながうまく知っていくということが、すごく意味があることだと思います。

5. 将来をどう展望するか～淀江を世界遺産に

最後になりますが、図30は淀江町の国史跡妻木晩田遺跡です。こういう弥生時代の集落の景色を見て、思ったことがあります。

図30　妻木晩田遺跡

実は私は、今年世界遺産になりました北海道・北東北の縄文遺跡群が世界遺産になる際にもずっと関わっていました。図31は青森県の三内丸山遺跡です。北海道・北東北の縄文遺跡群には、こういう遺跡が17遺跡あります。あまり変わらないですね。図32は秋田県の大湯環状列石です。図33は、北海道伊達市の北黄金貝塚で、ここも世界遺産の一つです。似ていますよね。

図31　青森県　三内丸山遺跡

図32　秋田県　大湯環状列石

図33　北海道　北黄金貝塚

当初、こういうことを考えていました（図34）。縄文文化は日本の基調をなす文化だから大事なのだ、定住が始まった所だ、自然と共生している、縄文から現代に繋がるものがある、みたいなことをみんなで議論したのです。

しかし、世界に向けてこの遺跡群の価値を説明するには、これだけでは足りないのです。縄文文化と言ったって、世界の人達にとっては「それ、なに？」ということになりますから、もう少し普遍的な言葉で議論しようということになって、結果的には、農耕社会ではないのだけれども、狩猟・採集・漁撈で1万年も継続している定住社会は、世界にないだろう。それは地域の豊かさがあってこそのことである。どういう豊かさかというと、たとえば冬はサケが遡上してくるの

北海道・北東北の縄文遺跡群

・「日本が誇る縄文文化」
・「定住の達成」
・「自然との共生」
・「縄文から現代へ」
（平成28年８月版パンフより）

図34

北海道・北東北の縄文遺跡群

・狩猟・採集・漁労による１万年もの永続的な定住の実現
・成立条件としてのまれに見る海と山の豊かな環境
・それを証明するために過不足のない構成資産群
「真実性」は大丈夫か
「完全性」は大丈夫か

図35

で、蛋白源に困らない。そしてブナ林です。ここ山陰だとブナ林は高い山にしかありませんが、北海道や北東北では、平地にブナ林がおりてきます。そうすると、秋には平地でドングリや木の実が採れる。そういうことを議論して、そうした例外的に豊かな環境が、農耕によらない長期の定住というものを実現させたと主張し、それで世界遺産になったのです。

ですから、私は、淀江がもっている弥生時代から古墳時代にかけての遺跡のもっと深い価値は、うまくすれば世界にも発信できるかもしれないと思います。というのは、ずっと世界遺産に関わっているなかで、日本を代表するいろんな時代のものは、一つきちんと世界遺産にしていこうという大きな流れがありました。縄文時代は、「北海道・北東北縄文遺跡群」が世界遺産になったでしょ。古墳時代も、大阪府の「百舌鳥・古市古墳群」がなりました。この後、飛鳥・藤原時代はいま準備しています。日本という国ができる頃です。その後、奈良時代は、平城京のある「古都奈良の文化財」がなった。それから、平安時代は平安京のある「古都京都の文化財」や「平泉」がなった。それからその後、江戸時代は「姫路城」、幕末から明治時代は「明治日本の産業革命遺産」ということで、世界遺産になりました。日本の歴史をずっと見ると、各時代の遺跡群が世界にその価値をうまく説明して世界遺産になっているのですけれど、弥生時代が抜けているのです。だから、弥生遺跡の価値をうまく説明して、その中に、たとえばですけれど、淀江の遺跡――ここだけでいいかどうかわかりません。出雲まで広げるのか、ひょっとすると九州まで広げる必要があるかもしれません。北海道・北東北だって4県にまたがっていますからね――どこかうまい切り口があって、その中にうまく淀江がはまれば、これは弥生遺跡群という一つの時代の日本の代表選手だとして、世界遺産だって夢ではないと思います。

だから、その時のことを考えると、あまり変なものがあると世界遺産としてここはちょっとまずいみたいなことを言われてしまうから、いろんな施設を造るなとは言わないですけれど、造るにしても、うまく工夫をしながら造って、こうした歴史的価値を損ねないようにするということは、本当に大事だと思います。

縄文遺跡群と古墳群が世界遺産になって、弥生遺跡だけが抜けているということで、世界遺産という夢もあるので、この静かに見える、そして歴史が繋がっていて、安定していて、そして徐々にもっと良くなっていく、もっと魅了的になっていく、そういう地域として淀江を考えれば、年縞みたいなのをこれから積み重ねられるような地域になるのではないか。それは、うまくすれば世界遺産も夢ではないかもしれない。ですから、そういう時に、官も民もいろんな努力が同じ方向を向いて、いい相乗効果を生み出すことが大事です。せっかくここまで変に開発されることもなく静かに来たのだから、この魅力をうまく将来世界に引き継ぐということは、我々の時代の責務だと思います。それにあたって、この地域は、本当に大きな可能性を持っているということを、昨日今日、現地を駆け足ですけれど見せていただいて感じた次第です。

以上です。ご清聴ありがとうございます。

【質疑応答】

進行役　西村先生、どうもありがとうございました。先生のお話で、パワーをいただき元気が出てきましたね。この地域は、全国的にも珍しいほど、歴史や文化が豊かに残されている。地域を深く知ることで、町に宝がたくさんあることに気づく。そういう歴史をうまく活かしたまちづくりをおこなうにふさわしい町であるといったお話でございました。最後の方では、この地域、あるいは妻木晩田遺跡がありますから弥生遺跡群ということで、世界遺産も夢ではないという、たいへん夢のあるメッセージをいただきました。先生のご指摘の通り、そういうこの地域の宝を後世に伝えるために、官と民が一緒になって、しっかりとしたスタンスで取り組まなくてはならない、という気持ちになりました。
さて本日は、リモートで講演を聞いてくださっている方々が全国にたくさんおられます。ここで、本日のコメンテーターとしてリモート参加していただいております、熊本大学名誉教授の木下尚子先生をご紹介したいと思います。

木下先生は弥生時代の研究者で、佐賀県の吉野ヶ里遺跡の調査指導委員や日本学術会議の会員も務められました。現在は長崎県文化財審議委員、山口県文化財審議委員、そして鳥取県のとっとり弥生の王国調査整備委員も務めておられます。西村先生と木下先生は、以前にお仕事の関係でお付き合いがおありだと伺っております。木下先生、よろしくお願いいたします。

木　下　西村先生、大変ご無沙汰しております。西村先生とは、先生が東京大学にご在職中、日本学術会議の文化財保護の提言のために一度お部屋にお伺いし、ヘリテージ・マネージャーについていろいろと教えていただきました。ご記憶にございますでしょうか。

ご講演にコメントをするなど、私には身の丈をこえていることなのですが、事務局からのご依頼ですので、感想を交えてひとこと申し上げたいと思います。

先生は最初に上淀廃寺から海側をご覧になった写真を示されて、「ああいい景色ですね。いい景色と申しますのは、変なものがないんですよね」と仰いました。その後のお話の中でも数回「変なもの」という表現がでてきましたので、「変なもの」って何なんだろうなと思いながら拝聴しておりました。お話が進んで沢山の事例が紹介されるに従い、その地域の歴史的な風土を壊すようなもの、土地の良さをプッシュする役割を果たさないものが、先生の中では「変なもの」ではないのかと理解し始めました。そうすると、「変なもの」と「変でないもの」をちゃんと区別して、その地域らしいものを作り上げていくというのがよい景色のポイントになるらしい。けれども、「変なもの」も時間がたつと土地になじんで「変でないもの」になるかもしれないし、その区別はなかなか難しいな、そんなことを思いながら拝聴しておりました。

私は考古学を勉強しておりますので、遺跡や埋蔵文化財に関わることが多いのですが、国や県などにとって価値の高い文化財は、行政がそれぞれのレベルに応じた史跡に指定して守ってくれています。先生のお話では、こうした史跡も土地の良さを形づくる一つの部品なので、その周りも含めて景観を考えていかなくてはいけない、そこに「変なもの」があっちゃいけない、となります。では何が変でなくて好ましいか、となりますが、そこには地元の方々の生活や好みも係わっているので、なかなか判断できないですよね。結局、その土地をよく知る方々が、自分たちの歴史のバックグラウンドや、今の生活の利便性を大事にした上で、これはいいかなとか、ちょっと問題かなとか、これは後世に残したいとか、そういう判断をまずなさることだろうかなと思いました。その後で行政的なルールうまくかみ合ってくると、「変なもの」のない、作り手の思いのこもった風景ができるのかなと思いました。

今回の講演会を含め、前回や前々回のご講演などをお聞きして思うのは、講演の内容のすばらしさは勿論ですが、これらを企画した組織のすばらしさです。淀江の有志の方々が「古代淀江ロマン遺跡回廊」を立ち上げ、文化財保護に関する一流の先生方を呼ばれて連続講演会を企画されていることに、このグループの優れた実行力を感じ、淀江の土地を良くしていこうという本気度といいますか、その熱さに圧倒されます。今日の司会者の方のお話しの様子からも、強い学習意欲が伝わってまいりました。この土地に何故これほどの機運が生まれたのか、これは時間がたって運動の結果が形になった後にわかることかもしれません。その結果は、本日のご講演にあった「変なもの」と「変なものでないもの」にどのように向かってゆくかに繋がるのではないか、と感じました。

僭越ながら、私の感じたことを申し上げさせていただきました。以上でございます。

進行役　木下先生、ありがとうございます。遠い所から頼もしく聞かせていただきました。先生が言われるように、私もあまり気が付かなったのですが、変なものがないという西村先生のご指摘、淀江弁では「変なもんが、ねがな（ないじゃないか）」と言いますけれども（笑）、淀江の町には本当に変なものがないですもんね。素晴らしい自然に恵まれた、水と史跡の美しい町です。
それと、木下先生、ひとつお尋ねしたいのですが、西村先生のご講演の最後の方に「世界遺産も夢じゃない」というようなお話が出ましたけど、この世界遺産について、木下先生は、どう思われますか。

木　下　そうですね、これは私などのレベルをはるかに越えた問題ですので、西村先生が大丈夫だと仰るのであれば、もう前進あるのみなのではないでしょうか（笑）。

進行役　そうですね、西村先生は、世界遺産を選定する日本イコモスの委員長を長らくお務めでしたので、これを機会に、ぜひこの遺跡回廊を通じてこの地域をもっともっと先生方に知っていただいて、アピールしていただきたいと思っております。もう何かメッセージございませんか。

木　下　一つございます。この「古代淀江ロマン遺跡回廊」という名前についてです。「ロマン」は広報ではよく使われることばだと思いますが、遺跡と回廊を続けた名前の発想はすてきだなと思いました。淀江平野を海沿いにある遺跡から丘陵にある遺跡までをつないでゆくルートはまさに回廊で、この回廊はどこから続いてきたのだろう、どこまで繋がっていくんだろう、という拡がりを感じさせてくれる優れたネーミングだと感じています。

進行役　ありがとうございました。木下先生、私達の勇気の出るようなメッセージをいただきました。木下先生、お忙しいところありがとうございました。
いかがでしたか、皆さん。木下先生には、リモートで私たちのこの講演会に参加していただきました。私達が気づかないことを、県外の方からメッセージを送っていただいて、私達ももっとしっかりしなければ、ということを感じました。自分たちの町でも、まだまだ知られていない素晴らしいものがたくさんあるということですね。
それと昨日、淀江の方と食事をしていたら、「宇田川公民館のへんを散歩しとったら、土器の破片が見つかあだがんな（みつかるんだよね）」と言うんです。「へえ、そげなもんが見つかあかや（そんなものがみつかるのですか?)」というと、「歩いとったら、こげなほおせもんだがなぁ(歩いていたら、このような小さいものだがな)、あれは土器だで、縄文時代のもんだと思うわ」というので、「これからウォーキングする時に下向いたり、景観もきれいだから景観を眺めたりせんといけんで(眺めたりしないといけないので)、忙しいな、行ってみんといけんな」みたいな話をしたんです。

淀江の宝は、まだまだたくさんあるようでございますので、皆さんも淀江のウォーキング・ラリーとかそういったイベントの時に、ちょっと下を見ていただきますと、案外、新資料のようなものが出てくるかもわかりません。淀江はそういう魅力ある宝の地だということを、ちょっと頭の中に入れておいてください。

ここで、時間もせまってまいりましたけれど、質問をお受けしたいと思います。どうぞ。

質問者①　先ほど木下先生が「変なものって何だろうかな」とおっしゃいました。実は伊豆に修善寺という素晴らしい温泉の町があります。3~4年前の正月にそこへ行ったら、露天風呂から見えるきれいな景色の中に、5m×7~8mの靴屋の看板がかかっているのですよ。旅館の主人に「あれは、まずいじゃないですか。町で何とかできないですか」と言ったら、いろいろあって反対したけれど、どうしようもなかったらしいです。それで、どういうものが「変なもの」となる可能性があるのか。それを我々が知っていれば、未然に防ぐこともできるのかなと思いますが、いかがでしょうか。

西　村　ありがとうございます。基本的には、今まで普通にあったものがそのまま続いて行けば、まわりに同じようなものばかりだから、馴染むのです。今までにないようなものが一つでもできると、やはりそれは違和感があるというふうになると思います。ですから、全体としては今まで普通に日々やってきたものからかけ離れないようにということが大きいと思います。

ただ、今の公共事業などではそうもいかないわけですけれども、先ほども言いましたように、そういう時には、いかに両方が両立できるかということをしっかり工夫して、どうしても新しく造らなきゃいけないものだけが目立つということではなく、できるだけ目立たないようにすることですね。

また、先ほど申し上げたように、百塚88号墳の場合は敷地のごく端っこの方にあるので、敷地のデザインを変えて古墳をうまく残すことで地域とウィン・ウィンの関係になるとか、やり方はいろいろあると思います。全体として、あまりまわりと違うものをこれ見よがしに造らないということだと思います。

講演のいちばん最初に紹介した岐阜県飛騨市古川町は、今もわりと調和が取れているのですが、この町に「相場くずし」という面白い言葉があります。相場というのは普通の意味の相場で、まわりとのある相場感を崩すのはまずい。たとえば、フォーマルな席にすごくラフな格好をして行くと、それは相場くずしだと。建物にしても、和風の建物が並んでいる所に四角い三階建ての真っ白な建物を建てるのは、やはりまわりと調和しないので相場くずしだと。いろんな時に使います。日本の言葉で言うと「空気を読む」みたいな感じかもしれないですね。あまり空気を読み過ぎるのもよくないかもしれませんが、古川にはまわりの雰囲気を見て、ある種、自分の美意識で、これはいいよね、これはやはり相場くずしだということで、そこにふさわしいものは何かと考えるというような伝統があるのです。

なぜそういう伝統ができたかというと、古川の場合、「古川まつり」というお祭りがとても盛んなのです。お祭りは、若い人もお年寄りの人もそれぞれ役割を持って、それぞれに参加して、ずいぶん前からいろんな準備をしないといけないということで、コミュニティをちゃんと支えるというのはどういうことかということに対して、子どもの頃からの習慣の中で身についているのではないかと思います。大都市で、隣に住んでいる人も知らないような所では、それぞれが勝手にやっているわけですから、相場ってなかなかできないですね。

だからその意味で、安定したコミュニティがあるということが、その前提だと思います。そういうことで、「変なもの」というのは、その感覚が共有できることがコミュニティというものになるのではないか。そんなふうに思いますけど、よろしいでしょうか。

進行役　ありがとうございました。では、次の方、どうぞ。

質問者②　今日は、貴重なお話を聞かせていただき、本当にありがとうございました。さきほどから、地域を深く知ることが地域の宝を発見して、本当の意味での地域の発展に活かすことができるというご指摘に、ものすごく共感しています。同時に、今、私達は子ども達に米子の素敵な水を残したいという運動をしているのですけれども、国から米子市の副市長として来られた方が、米子の水を飲んで美味しくてびっくりして、水道局に行かれてなぜかと勉強されたそうです。それから、友達が東京に出張して、水を買って飲むということを初めて知った、米子の水の素敵さを感じたと言われました。いま私も85になりますけれども、いままで遺跡のことを勉強していなくて、今日のお話のようなことを知りませんでした。こういうことを子ども達の教育に活かすことと、それから命の水を子ども達のために守ることとは、コロナ禍の時代の地域経済の持続的な発展に、本当の意味で活かせるのではないかと思っているのですけれども、先生のご意見を一言でもお聞かせください。

西　村　ありがとうございます。まさにそういう感じがします。米子の水は、おそらく大山の恵みですよね。日本の中で、米子のように水が豊かで湧き水が多くて、それを誇りに思っている所は、幾つかありますす。私が知っているのは、たとえば島原半島の島原は本当に湧水が多くて、それは今でも地域で使っていらっしゃいます。熊本もそうです。阿蘇山の伏流水から来ています。それから、私が実感するのは富山平野です。ここには立山があります。実は、大山は、富山の立山の風景に似ている感じがします。ゆっくりした立山の斜面と大山の斜面がそのまま海に行く。富山のうたい文句は、立山が2、000メートルぐらいで、そして富山湾の深さが1、000メートルほどですね。

3、000メートルの高低差を50キロぐらいの間で川が流れていくと、うまく表現していますね。そういうことを言われると、ああなるほどと思うじゃないですか。水がものすごい勢いで流れ下るから、いろいろなものが濾され、海の流れも回っているみたいです。そういう地形の恵みだと思います。そうすると、水を守るということは、山とか森とかそういうもの全体を守ることになるのです。一つの非常に広い環境をとらえて、それを水という一言があらわして、それを実感できるというのは、やはり米子は本当に恵まれていますね。環境全体の価値が、水という一つのことで市民が誰でもわかるものとしてあるということ、まさにそのことがすごく大きな宝だと、お話を聞きながら思いました。以上です。

進行役　本当に水というのは大きな宝ですね。ありがとうございます。

もう少し先生から時間をいただいていますので、どなたか、どんなことでもいいですので挙手願います。質問ある方は、どうぞ。

質問者③　淀江には上水道の上流に産業廃棄物最終処理場をつくるということを今の市長さんが認めておられます。私達が守るべきものと守らなくてもいいもののとのバランスを考えた施策をしていただきたいと思いますが、先生のご意見をお聞きしたいと思います。もう一点は、身分制度のことです。身分制度は古墳時代にもども、先生のお話にまったくなかったですけれども、身分制度は古墳時代にもあったでしょうか。どこから始まってどういう役割をしているものでしょうか。

西　村　最初の方の質問は、私も詳しくは事情を知らないので何とも言えませんけれども、ただ、いま地下水への影響に関して調査をされているということですね。その調査の結果をまって、調査のレポートがどういうものかを市民の立場できちんと検証することが大事だと思いますので、まずはその調査の結果を見守ることだと思います。

身分制度のことに関しては、百舌鳥・古市古墳群を世界遺産に推薦するかどうかの議論をした時の経験を少しご紹介したいと思います。百舌鳥・古市古墳群を世界遺産にする時に、どこまでの範囲の、どのような古墳を選んだらいいのかとかいう問題がありました。大型の前方後円墳だけを選べばいいのか、いろんな種類の古墳がある方がいいのか、それも数が多い方がいいのか、それとも厳選した方がいいのかということで、海外の専門家も一緒になって、すごく議論がありました。その時に、この古墳群には、前方後円墳とか帆立貝式とか方墳とか円墳とか、幾つかの種類がある。それはおそらくある種の身分制度とかある種の社会構造をあらわしていると考えられます。考古学者の先生、海外の人によると、外国のこういうベリアル・マウンド(古墳)は、だいたい同じ形をしているのだそうです。このようにいろいろな形の古墳があるのは、世界的にみると非常に珍しい。そういう古墳の形の違いは、おそらく何らかの社会階層があったことを示しているので、それは全体を評価するのがいいのではないか。また、同じ前方後円墳でも、大きいのもあるし、小さいのもある。それは、前方後円墳の中でも階層、序列があったということをあらわしているだろう。時代的な違いもありますけれど、中期中葉という古墳時代の真ん中のところを取り出したのですが、それでも古墳に大きいのがあるし小さいのもあるということが、社会のある体制を表現しているので、それが大事なのだと。それならば、全部世界遺産にしようということで数を増やしたのです。前方後円墳は45基あります。削られてなくなっているとか墳丘が半分なくなっているようなものは除きましたけれど、一応形がきちんとしているものは、含めました。大きいもの小さいもの、まわりに駐車場があるとか、結構いろいろあったのですが、でも除外するよりは、そういう多様性が幅広い社会の構造をあらわしている。そこに意味があるということで世界遺産の申請を出したら、イコモスもそれを評価してくれたのです。ですから、いまのご質問について、身分制度と言えるかどうかわかりませんが、少なくとも古墳群のあり方を見る限り、ある種の社会構造は合理的に類推されるのではないかと思います。

そして、百塚88号墳も、規模が小さいから価値が低いということではなく、あのような小型の前方後円墳も存在していることが、当時の社会構造の復元のために重要な意味をもつと思います。

進行役　西村先生、どうもありがとうございました。終了時間が迫っておりますが、最後にご案内がありま す。会場の皆さんには「古代淀江ロマン遺跡回廊」連続講演会パート4、12月9日の中川幾郎先生の講演会のパンフレットをお渡ししています。これは対面講演会はなくて、オンラインの講演会です。実は今日、この4回目の講師の中川先生がこの会場に来ておられます。そして昨日、西村先生と一緒に、淀江地域と米子の古い町並みなど、いろんな所をいろんな角度から回っていただきました。中川先生、こちらにおいでいただけますでしょうか。先生は、日本の文化政策の第一人者ということで、文化政策の立場から淀江のまちづくりについてご講演をいただくことになっています。せっかくですから、中川先生に、今度の講演会の前触れというか予告をいただきたいと思います。

中　川　皆さん、こんにちは。ご紹介いただきました中川と申します。私は、これまでにご講演くださったお三方の先生とは少し異色です。私は考古学の専門でもなければ、歴史学の専門でもありませんが、文化資源とまちづくりをどうつなげていくかということに関しての専門性は持っております。とりわけ公共文化政策論が私の専門です。この町の素晴らしい可能性を今日は感じさせていただきました。こんな可能性がある、こんなことも考えられるというお話を次回はさせていただきたいと思っています。なぜそんなふうに考えることができるのか、その裏付けを、私なりに一つ一つ確認してきました。そのようなお話をご披露させていただき、ご当地のまちづくりに貢献したいと思っています。どうぞ、よろしくお願いします。

進行役　ありがとうございました。ほかの先生とはまた切り口が違います。文化資源とまちづくりというような角度から、また素晴らしいメッセージが届くと思いますので、12月9日、ぜひ参加していただきたいと思います。

そうしますと、一応これで今日の講演は終わりたいと思いますけども、本当に今日は西村先生、そしてリモートでの木下先生、ありがとうございました。

オンラインで参加していただいた方、質問は受けられませんでしたが、オンラインでの皆さんのたくさんの参加での今日の講演会ということになりました。ぜひとも次回、12月9日の講演会も楽しみにしていただきたいと思います。今日はありがとうございました。

そして、最後になりますけども、皆さん、「古代淀江ロマン遺跡回廊」推進会議について、「東京のメンバーはどんな方なのか」、「淀江は誰がやっちょうだ？（誰がやっているのか？）」という声が受付に届いていますので、あと1～2分、時間をお借りいたしまして、紹介したいと思います。東京の共同代表の3人、それから淀江事務所が今日は3人しか来ていませんけれども、前の方に出てきて、皆様方にお顔を見ていただきたいと思います。そして、共同代表の勝部日出夫から、ひとことご挨拶させていただきます。

勝部（共同代表）　共同代表の勝部です。今日は、本当にたくさんお集まりいただいて、またリモートでもたくさんご参加いただきまして、ありがとうございました。加えまして、今日、世界遺産の日本の第一人者である西村先生から、弥生遺跡群として世界遺産の可能性があるのではないかという素晴らしいお話をいただいたこと、非常に心に強く思いました。実は、淀江のご出身で、ユネスコの世界遺産のアジア太平洋のディレクターをされていた野口英雄さんも、私が淀江の話をいたしましたら、世界遺産の可能性があると仰ってくださいました。野口さんの場合は、伯耆・出雲、それから遺跡や大山も含めて、地域全体として非常に価値があるというお話でした。

それから我々3人の共同代表は、吹野さん、倉島さん、それから私も、海外での生活経験があって、世界各地のいろいろな歴史遺産を見てまわっております。その中でこの山陰の中央部、大山と孝霊山を背景に、淀江平野、米子平野、そして日本海、弓ヶ浜半島、島根半島、中海、宍道湖と、これだけのものが1カ所に集まっているところは、世界でも非常に珍しいですね。加えて、縄文の時代からずっと遺跡が連なっている。そしてさらに重要なことは、縄文時代からそこに人々が生活していて、今日もそこに住んでいらっしゃる方がいて、人々の生活がずっと繋がっている。そういう生活文化、そして景観が、ずっと長く繋がっているということです。今日のお話にもありましたように、古墳とお墓がほぼ同じように同じ場所にある。それがずっと古代から繋がっているということを示している。そういうこと全体が、西村先生はまちづくりとしても淀江の素晴らしい所なのだということを仰っていただいています。

この地域は、皆さんが本当に誇りを持って幸せに生きることができる場所なのだということをぜひ実感していただきたいと思います。そして私達は、これらの宝を単に歴史文化遺産としてだけではなくて、経済的な資産にし、先ほどのご質問にもありましたように教育の資産にもなるという形で、「古代淀江ロマン遺跡回廊」構想を進めていきたいと思っています。その際、地元の方が中心になってやっていただくということが最後のキーになります。地域の熱量、エネルギーがこの運動の成否を増すということになるので、ぜひ皆様方のご協力とご参加を心よりお願いいたしまして、私の挨拶といたします。どうもありがとうございました。

進行役　皆さんと一緒に歴史を活かしたまちづくりを取り組んでいきたいと思います。皆さんも、淀江を好きになってください。そして、ぜひ淀江に遊びに来てください。今日は本当に長時間ありがとうございました。

「古代淀江ロマン遺跡回廊」HP

西村幸夫先生の講演会は
YouTubeでも視聴できます

YouTube「古代淀江ロマン
遺跡回廊」チャンネル

「古代淀江ロマン遺跡回廊」推進会議設立趣意書

米子市淀江町には縄文時代から弥生、古墳、飛鳥、奈良時代にかけて、全国的にも注目される遺跡や古墳が集中しています。縄文時代には海が入り込み、大山山系の湧水にも恵まれて人々の生活を豊かにしたものと思われます。弥生時代に入ると淀江湾は天然の良港となって九州や大陸との交易で日本海の海上交通の拠点として栄えました。従来注目されてきた東側の妻木晩田、上淀廃寺に加えて、西側の小波地区、壺瓶山にも光を当て数百万坪に及ぶ、わが国最大級の遺跡群として整備します。さらに森林、湧水をはじめ自然資産を修復し、孝霊山、大山をはじめ弓ヶ浜半島、島根半島、美保湾、淀江平野と３６０度の雄大な自然景観を楽しみながら散策したいと願っています。

また明治維新後の産業・農地開発で大部分の古墳が壊されてきた小波地区に残っている最後の前方後円墳、百塚88号墳は私たち山陰人、米子市民にとっての歴史・文化の証でもあり、先祖の魂の象徴でもあります。88号墳を保存するか更地に戻すかは我々のみならず後世の子孫が選択する資産として残しておくことが我々の務めではないでしょうか。

気候変動、地球環境劣化、コロナ・パンデミックなどで世界は揺れ動いています。少子化も大きな問題であります。しかし脚下照顧、まずは地元のロマン遺跡回廊を歩き、大自然の環境に身を置き、人類の過去・現在・未来、そして地球の将来はいかにあるべきか大いに考え、議論してまいりたいと思います。「古代淀江ロマン遺跡回廊」の構想は自然環境（湧水や景観を含む）や遺跡等の歴史遺産を大切にし、今ある資源を〝財〟を生み出す資産に変えていく事業でもあります。この構想の趣旨をご理解賜り、皆様のご賛同、ご協力をお願い申し上げます。

（詳細はＨＰをご参照ください。）

淀江へのアクセス

◆自動車の場合

米子自動車道米子インターから、国道９号線経由で約20分、山陰自動車道で淀江インターまで約５分

◆JRの場合

米子駅から淀江駅まで約15分（JR淀江駅にはタクシーが常駐していないので、あらかじめ近隣のタクシー会社にお問い合わせください）

◆飛行機の場合

米子空港からJR米子駅まで連絡バス約30分 → JR淀江駅へ

米子空港から淀江まで車で約50分（国道431号線・９号線経由）

古代淀江ロマン遺跡回廊ブックレット３

淀江から考える
歴史を活かしたまちづくり

発行日　2022年１月29日

編集・発行　「古代淀江ロマン遺跡回廊」推進会議
E-mail：kodaiyodoe@gmail.com
https://kodaiyodoe.wixsite.com/yodoe

発　売　今井出版

印　刷　今井印刷株式会社